TANGRAM *aktuell* 2

Lektion 1–4

▶ Glossar XXL

German–English Glossary
Grammar summary
Communication

Hueber Verlag

Beratung:
Ina Alke, Roland Fischer, Franziska Fuchs, Helga Heinicke-Krabbe,
Dieter Maenner, Gary McAllen, Angelika Wohlleben

Phonetische Beratung:
Evelyn Frey

Mitarbeit an der Tangram aktuell-Bearbeitung:
Anja Schümann

Beratung für die Tangram aktuell-Bearbeitung:
Axel Grimpe, Goethe-Institut Tokyo
Andreas Werle, Goethe-Institut Madrid

Übersetzung:
Alan G. Jones

Unser besonderer Dank gilt dem MGB, Koordinationsstelle der Migros Klubschulen, Zürich, Schweiz
für die freundliche Überlassung einzelner Teile aus Lingua 21, der Klubschuladaption von Tangram,
insbesondere von Inhalten aus dem Referenzbuch.

Quellenverzeichnis:
Seite 47   Fotos: Wener Bönzli, Reichertshausen

Umschlagfoto und S. 3, 5, 25 und 55:
Arts & Crafts, Dieter Reichler, München

4.   3.   2.   1. | Die letzten Ziffern
2011   10   09   08   07 | bezeichnen Zahl und Jahr des Druckes.
Alle Drucke dieser Auflage können, da unverändert,
nebeneinander benutzt werden.
1. Auflage
© 2007 Hueber Verlag, 85737 Ismaning, Deutschland
Zeichnungen: LYONN cartoons comics illustration, Köln
Verlagsredaktion: Annette Albrecht, Hueber Verlag, Ismaning
Produktmanagement: Astrid Hansen, Hueber Verlag, Ismaning
Druck und Bindung: Ludwig Auer GmbH, Donauwörth
Printed in Germany
ISBN 978-3-19-241816-7

German–English Glossary

Kursbuch

Lektion 1

Seite 1

junge Leute *young people*
Klingel die, -n *door-bell*
Studentenwohnheim das, -e *student hostel*
Wir kennen uns jetzt seit vier Jahren und verstehen uns
  sehr gut. *We have known each other for four years and
  get on well.*
  sich gut verstehen *to get on well*
bei meinen Eltern *with my parents*
fertig sein + mit DATIVE *to have finished*
Lehre die, -n *apprenticeship*
ausziehen, zog aus, ist ausgezogen *to move out*
hoffen + ACCUSATIVE *to hope*
genug *enough*
ziemlich *rather*
Reisekauffrau die, -en *travel agency clerk (female)*
Zweizimmerwohnung die, -en *two-room flat*
Studentin die, -nen *student (female)*
Überschrift die, -en *headline*
Trend der, -s *trend*
Jugendliche die/der, -n (ein Jugendlicher) *young person*

Seite 2

Vermutung die, -en *assumption*
Elternhaus das (singular only) *parental home*
obwohl *although*
23-Jährige die/der, -n (ein 23-Jähriger) *23-year-old*
Twen der, -s *person in his/her twenties*
von heute *of today*
anspruchsvoll *demanding*
Haben sie Angst …? *Are they afraid …?*
  Angst vor … *fear of …*
Unabhängigkeit die (singular only) *independence*
Wohngemeinschaft die, -en *commune*
beliebt *popular*
weg *away*
zusammenwohnen + mit DATIVE *to live together*
zwar *certainly*
konnte (→ können) *could*
Miete die, -n *rent*
Chaos das (singular only) *chaos*
mieten + ACCUSATIVE du mietest, sie/er mietet,
  hat gemietet *to rent*
unsicher *unsure*
unabhängig *independent*
Großstadt die, ¨e *city*
Lehrling der, -e *apprentice*
beenden + ACCUSATIVE du beendest, sie/er beendet,
  hat beendet *to finish*

führen + DIRECTION *to lead*
Weg der, -e *way*
automatisch *automatically*
Erwachsene die/der, -n (ein Erwachsener) *adult*
zurückkommen + DIRECTION kam zurück, ist
  zurückgekommen *to come back, to return*
weil sie arbeitslos werden *because they become
  unemployed*
  arbeitslos *unemployed*
bezahlen + ACCUSATIVE hat bezahlt *to pay*
Alleinsein das (singular only) *being on one's own*
kostenlos *free of charge*
attraktiv *attractive*
genießen + ACCUSATIVE du genießt, genoss, hat
  genossen *to enjoy*
Rund-um-die-Uhr-Service der (singular only)
  round-the-clock service
Lese-Raten das (singular only) *guess reading*
Nehmen Sie ein Blatt Papier, legen Sie es auf den Text
  und verstecken Sie so einen Teil der Textzeile.
  *Take a sheet of paper, lay it across the text so as to hide
  part of the line of text.*
  Textzeile die, -n *line of text*
komplett *complete*

Seite 3

Grund der, ¨e *reason*
weil-Sätze *"weil" clauses*
Hauptsatz der, ¨e *main clause*
Nebensatz der, ¨e *subordinate clause*
Gegengrund der, ¨e *reason against*
obwohl-Satz *"obwohl" clause*
Satzende das, -n *end of the clause*
direkt *directly*
etwa *about*
Militär das (singular only) *military service*
zur Untermiete wohnen *to rent a room*
  Untermiete die (singular only) *subtenancy*
Heirat die (singular only) *marriage*
Examen das, - *final exams*

Seite 4

Bumerang der, -s *boomerang*
kaum *hardly*
ausgezogen *moved out*
engl. *English*
austral. *Australian*
Wurfholz das, ¨er *throwing wood*
Kreis der, -e *circle*
Werfer der, - *thrower*
zurückfliegen + DIRECTION flog zurück,
  ist zurückgeflogen *to fly back*
Spielgerät das, -e *toy*
verreisen *to go on a journey*

Seite 5

Bekannte die/der, -n (ein Bekannter) *acquaintance, friend*
Freundschaft die, -en *friendshisp*
Geburt die, -en *birth*
da *at that point*
immer mal *always*
hattet (→ haben) *had*
wegen *on account of*
durfte (→ dürfen) *was allowed to*
fast nichts dürfen *to be allowed to do almost nothing*
sich gewöhnen + an ACCUSATIVE *to get used to*
damals *at that time*
… dann wurde ich eben schwanger. *… then I went and got pregnant.*
   wurde (→ werden) *became*
   eben *just at that point*
   schwanger *pregnant*
(es) gab (→ geben) *there was*
… das war vielleicht ein Chaos! *… what a mess that was!*
   vielleicht *perhaps*

Seite 6

Präteritum das (singular only) *preterite, simple past tense*
Präteritum-Signal das, -e *preterite signal*
Präteritum-Form die, -en *preterite form*
Präsens das (singular only) *present*
Kindheit die (singular only) *childhood*
Jugend die (singular only) *youth*
rauchen *to smoke*
heiraten *to marry*
Rock-Star der, -s *rock star*

Seite 7

Es bediente Sie Herr Schade. *You were served by Herr Schade.*
bedienen + ACCUSATIVE *to serve*
Aufgabenheft das, -e *homework book*
Reparatur die, -en *repair*

Seite 8

… sollte schon gestern fertig sein. *… should have been ready yesterday.*
gestern *yesterday*
schon gestern *by yesterday*
Ersatzteil das, -e *(replacement) part*
erst heute *not until today*

Seite 9

Morgen der, - *morning*
Montagabend der, -e *Monday evening*
Dienstagmorgen der, - *Tuesday morning*
Zahnarzt der, ¨e *dentist*
Ordnungsamt das, ¨er *municipal offices*
Konzertkarte die, -n *concert ticket*
reparieren + ACCUSATIVE hat repariert *to repair*

dabei haben *to have with one*
Konferenz die, -en *meeting*
Werkzeug das, -e *tool(s)*
rausgehen *to go out*
So ein Mist! *Damn!*
   Mist der (singular only) *nuisance (lit. manure)*
Hersteller der, - *manufacturer*
liefern + ACCUSATIVE *to deliver*
treffen + ACCUSATIVE du triffst, sie/er trifft, traf, hat getroffen *to meet*
Hochzeitsfeier die, -n *wedding (celebration)*

Seite 10

Da war immer die Hölle los: … *It was always Hell let loose: …*
   Hölle die, -n *hell*
dauernd *constantly*
fremd *strange*
stören + ACCUSATIVE *to bother*
Umgangssprache die (singular only) *colloquial language*
Doppelpunkt der, -e *colon*
folgen *to follow*
Silbe die, -n *syllable*

Seite 11

Inhalt der, -e *content*
nachher *afterwards*
bloß *just*
vorher *first*

Seite 12

Warum-Frage die, -n *why-question*
Kurzantwort die, -en *short answer*
Meister der, - *boss*
Wagen der, - *car*

Lektion 2

Seite 13

Traumreise die, -n *dream journey*
Reisetraum der, ¨e *dream of a journey*
aktuelle Urlaubs-Angebote *current holiday offers*
   Angebot das, -e *offer*
Mittelmeer das *Mediterranean*
Meer das, -e *sea*
Kreuzfahrt die, -en *cruise*
inkl. = inklusive *inclusive*
ab Genua *departing from Genoa*
Bus der, -se *bus*
Rundreise die, -n *tour*
Übern. = Übernachtung die, -en *night (lit. overnight)*
DZ = Doppelzimmer das, - *double room*

HP = Halbpension die (singular only) *half board*
auf Malta *on Malta*
täglich *daily*
surfen *to surf*
Surfkurs der, -e *surfing course*
Städtereise die, -n *city trip*
Stadtrundfahrt die, -en *city sightseeing tour*
Entspannung die (singular only) *relaxation*
Wellness-Programm das, -e *wellness program*

Seite 14

tun + ACCUSATIVE wir tun, ihr tut, sie tun, tat, hat getan
  to do
Sport treiben *to go in for sports*
besichtigen + ACCUSATIVE *to visit*
Sonne die, -n *sun*
braun *brown*
Sehenswürdigkeit die, -en *sight*
Nordroute die, -n *northern route*
Tempel der, - *temple*
Brücke die, -n *bridge*
Blick der, -e *view*
Spielerparadies das, -e *gaming paradise*
Strand der, ¨e *beach*
Einkaufsstraße die, -n *shopping street*
Reiseziel das, -e *destination*

Seite 15

Prospekt der, -e *brochure*
Reiseroute die, -n *travel route*
Nachtflug der, ¨e *night flight*
Datumsgrenze die, -n *International Date Line*
erscheinen *to appear*
Mitternacht die (singular only) *midnight*
Tagesflug der, ¨e *daylight flight*
Tagesfahrt die, -en *full day excursion*
See der, -n *lake*
Gelegenheit die, -en *opportunity*
Rundfahrt die, -en *sightseeing tour*
u. a. = unter anderem *including, inter alia*
Samstagvormittag der, -e *Saturday morning*
Abflug der, ¨e *departure*
Ankunft die (singular only) *arrival*
Transfer der, -s *transfer*
anschließend *then*
Stadtbummel der (singular only) *stroll about town*
Hauptstadt die, ¨e *capital*
Besichtigung die, -en *visit*
romantisch *romantic*
Bootsfahrt die, -en *boat trip*
bei Nacht *by night*
Show die, -s *night-club show*
Kontinent der, -e *continent*
Flugzeugwechsel der (singular only) *change of airplane*
Weiterflug der (singular only) *onward flight*
Boot das, -e *boat*
verpassen, hat verpasst + ACCUSATIVE *to miss*

Snack der, -s *snack*
Reisebericht der, -e *travelogue*
Reisetagebuch das, ¨er *travel diary*
Kopfschmerzen (plural only) *headache*
fix und fertig *worn out*
Reiseplan der, ¨e *itinerary*

Seite 16

Urlaubspost die (singular only) *holiday post*
Unterschied der, -e *difference*
Hallo, ihr Lieben! *Hello friends!*
begonnen (→ beginnen) *begun*
Verspätung die, -en *delay*
abgeflogen (→ abfliegen) *departed*
gleich *straightaway*
traumhaft *fabulously*
ansehen + ACCUSATIVE du siehst an, sie/er sieht an, sah
  an, hat angesehen *to look at*
Gruß der, ¨e *greeting*
liebe *dear*
So eine Weltreise kann ganz schön anstrengend sein!
  A round-the-world trip like this can be really strenuous
völlig *completely*
angekommen (→ ankommen) *arrived*
geblieben (→ bleiben) *stayed*
eingeschlafen (→ einschlafen) *fallen asleep*
gegangen (→ gehen) *gone*
Teil das, -e *piece*
gekommen (→ kommen) *arrived*
ärgerlich *annoying*
geflogen (→ fliegen) *flown*
gesessen (→ sitzen) *sat*
Jetzt habe ich furchtbare Kopfschmerzen
  Now I have a dreadful headache
  furchtbar *dreadful*
fit *fit*
mitgemacht (→ mitmachen) *joined in*
Dia das, -s *slide*
es geht weiter *it goes on*
hoffentlich *hopefully*
alles *everything*
zu Ende gehen *to come to an end*
bekannt *well-known*
kühl *cool*
Drink der, -s *drink*
gewesen (→ sein) *been*
benutzen + ACCUSATIVE du benutzt *to use*

Seite 17

Plakat das, -e *poster*
Partizip Perfekt *past participle*
  Partizip das, -ien *participle*
  Perfekt das (singular only) *perfect*
regelmäßig *regular*
unregelmäßig *irregular*
Bewegung die, -en *movement*
Veränderung die, -en *change*

Seite 18

losgegangen (→ losgehen) *started*
erlebt (→ erleben) *experienced*
erleben, hat erlebt + ACCUSATIVE *to experience*
Verbstamm der, ⁻e *verb stem*
berühmt *famous*
vor drei Jahren *three years ago*

Seite 19

Reiseleiter der, - *courier*
irgendwie *somehow*
Du hast recht. *You are right.*
  Recht das (singular only) *right*
Es ist ja auch schon … (ziemlich spät). *It's already …
  (rather late).*

Seite 20

Deutschland-Info die, -s *Germany Info(rmation)*
Schleswig-Holstein (das) *Schleswig-Holstein*
Mecklenburg-Vorpommern (das) *Mecklenburg-
  Vorpommern*
Brandenburg (das) *Brandenburg*
Niedersachsen (das) *Lower Saxony*
Sachsen-Anhalt (das) *Saxony-Anhalt*
Hessen (das) *Hesse*
Saarland (das) *Saarland*
Baden-Württemberg (das) *Baden-Württemberg*
Bayern (das) *Bavaria*
Berlin (das) *Berlin*
Hamburg (das) *Hamburg*
Nordrhein-Westfalen (das) *North Rhine Westphalia*
Rheinland-Pfalz (das) *Rhineland Palatinate*
Sachsen (das) *Saxony*
Thüringen (das) *Thuringia*
Kiel (das) *Kiel*
Schwerin (das) *Schwerin*
Bremen (das) *Bremen*
Hannover (das) *Hanover*
Wolfsburg (das) *Wolfsburg*
Magdeburg (das) *Magdeburg*
Potsdam (das) *Potsdam*
Düsseldorf (das) *Düsseldorf*
Köln (das) *Cologne*
Erfurt (das) *Erfurt*
Weimar (das) *Weimar*
Jena (das) *Jena*
Leipzig (das) *Leipzig*
Meissen (das) *Meissen*
Dresden (das) *Dresden*
Wiesbaden (das) *Wiesbaden*
Mainz (das) *Mainz*
Saarbrücken (das) *Saarbrücken*
Heidelberg (das) *Heidelberg*
Stuttgart (das) *Stuttgart*
Nürnberg (das) *Nuremberg*
München (das) *Munich*

Seite 21

Da gibt es einen großen Hafen. *There is a large port here.*
  Hafen der, ⁻en *port*
Zeichen das, - *symbol*
Ich war schon einmal in … *I once went to …*
  schon einmal *once (in the past)*
Bundesrepublik die (singular only) *Federal Republic*
im Norden *in the North*
im Westen *in the West*
im Süden *in the South*
im Osten *in the East*
Republik die, -en *republic*
Einwohner der, - *inhabitant*
bestehen + aus DATIVE *to consist of*
seit *since*
Bundesland das, ⁻er *federal state*
bevölkerungsreich *densely populated*
Ruhrgebiet das *Ruhr District*
Industriegebiet das, -e *industrial region*
gotisch *Gothic*
Dom der, -e *cathedral*
Karneval der (singular only) *carnival*
Gartenstadt die, ⁻e *garden city*
Altstadt die, ⁻e *old town centre*
Dichter der, - *writer, poet*
Wirtschaftszweig der, -e *branch of industry*
optisch *optical*
Gerät das, -e *piece of equipment*
Mechaniker der, - *(here) precision engineer*
Rostbratwurst die, ⁻e *barbecue sausage*
die alte und neue Hauptstadt *the old and new capital*
europäisch *European*
Kulturzentrum das, Kulturzentren *cultural centre*
Wald der, ⁻er *wood*
Wahrzeichen das, - *symbol*
Brandenburger Tor *Brandenburg Gate*
Tor das, -e *gate*
Industriestandort der, -e *industrial centre*
landschaftlich *scenically*
Ausflugsziel das, -e *destination for an excursion*
Urlaubsziel das, -e *holiday destination*
Bodensee der *Lake Constance*
Schloss das, ⁻er *castle, palace*
Schwarzwälder Kirschtorte die, -n *Black Forest gateau*
  Kirschtorte die, -n *cherry gateau*
wirtschaftlich *economic*
Region die, -en *region*
Landeshauptstadt die, ⁻e *state capital*
Zentrale die, -n *headquarters*
industrialisiert *industrialised*
die „neuen" Bundesländer *the "new" federal states*
Messestadt die, ⁻e *trade fair city*
Verlagszentrum das, Verlagszentren *publishing centre*
Thomaner-Chor der *St Thomas' Choir*
wunderschön *most beautiful*
weltbekannt *world famous*
Porzellanmanufaktur die, -en *porcelain factory*
Attraktives Urlaubsziel: die Sächsische Schweiz.
  Attractive holiday destination "Saxon Switzerland"

Urlaubs-Paradies das, -e *holiday paradise*
Hauptattraktion die, -en *main attraction*
Berg der, -e *mountain*
bayerisch *Bavarian*
Märchenkönig der, -e *fairy-tale king*
Lebkuchen der, - *gingerbread*
Wies'n die (nur Singular) *the "meadows" (where the Oktoberfest takes place)*
Oktoberfest das *October Fair*
weltgrößte *largest in the world*
Sammlung die, -en *collection*
Geschichte die (singular only) *history*
Naturwissenschaft die, -en *science*
Weinernte die, -n *wine harvest*
Rheintal das *Rhine valley*
Loreley die *Loreley*
Sitz der, -e *seat, headquarters*
Chemiewerk das, -e *chemical concern*
Rundfunkanstalt die, -en *broadcasting station*
ZDF das *Second German Television*
Seehafen der, ᵒ *seaport*
Handelsfirma die, Handelsfirmen *commercial firm, trader*
aus aller Welt *from all over the world*
Zeitschriftenverlag der, -e *magazine publisher*
Presse-Agentur die, -en *press agency*

Seite 22

Volksfest das, -e *popular festival*
Kostüm das, -e *costume*
Maske die, -n *mask*
altes Stadtzentrum *old town centre*
  Stadtzentrum das, Stadtzentren *town centre*
Autoindustrie die (singular only) *motor industry*
Tourismus der (singular only) *tourism*
Fabrik die, -en *factory*
hierher *to here*
typisch *typical*
Weinproduktion die (singular only) *wine production*
nördlich *to the north*
Fluss der, ᵒe *river*
Grenze die, -n *border*
fließen + DIRECTION sie/er/es fließt, floss, ist geflossen *to flow*
Fragepronomen das, - *interrogative pronoun*
beschreiben + ACCUSATIVE beschrieb, hat beschrieben *to describe*
Lage die (singular only) *location*
Nachbarland das, ᵒer *neighbouring country*
Geographie die (singular only) *geography*
Industriezweig der, -e *branch of industry*

Seite 23

Reisenotizen (plural only) *travel notes*
verbessern + ACCUSATIVE hat verbessert *to improve*
auf „-ieren" *ending in "-ieren"*
was = etwas *something*

Goethehaus das *Goethe's Birthplace (Frankfurt), Goethe's House (Weimar)*
lustig *amusing*
Abfahrt die (singular only) *departure*
Rundfahrt die, -en *tour*
Fotogeschäft das, -e *photographer's*
Sperrstunde die, -n *closing time*
Unfall der, ᵒe *accident*
passieren *to happen*
Gott sei Dank *thank goodness*
Stadtführung die, -en *guided tour of the town*
Führer der, - *guide*
geredet (→ reden) *spoke*
verstanden *understood*
Autobahn die, -en *motorway*
Bus-Panne die, -n *bus breakdown*
Hotelrestaurant das *hotel restaurant*
geschlossen *closed*
Stadtrundgang der (singular only) *walking tour of the city*
Panorama das, Panoramen *panorama*
Orgelkonzert das, -e *organ concert*
Hofkirche die, -en *court church*
Porzellan das (singular only) *porcelain*
Manufaktur die, -en *factory*
Rückfahrt die, -en *return*
klasse *great*
Dienstagmittag der, -e *Tuesday afternoon*

Seite 24

Trip der, -s *trip*
checken + ACCUSATIVE *to check*
perfekt *perfect(ly)*
Gepäck das (singular only) *luggage*
Bad das, ᵒer *bath*
Tour die, -en *tour*
Bar die, -s *bar*
saufen *to booze*
Schnaps der, ᵒe *schnapps, spirit*
zurückfliegen + DIRECTION flog zurück, ist zurückgeflogen *to fly back*
Reeperbahn die *Reeperbahn (street in Hamburg)*
Lehrbuch das, ᵒer *course book*
möglich *possible*
deutschsprachig *German-speaking*
Heimatland das, ᵒer *homeland*
Touristen-Information die, -en *Tourist Information Centre*

Seite 25

rund um ... *(here) all about*
Reisefreiheit die (singular only) *freedom to travel*
Vermischtes *miscellaneous*
fotografieren + ACCUSATIVE hat fotografiert *to photograph*
erleben + ACCUSATIVE hat erlebt *to experience*
planen + ACCUSATIVE *to plan*
Gruppenreise die, -n *group tour*

11

einmalig *unique*
Qualität die (singular only) *quality*
Reiseleitung die (singular only) *tour organisation*
wenigstens *at least*
wegfahren *to get away*
mitbringen + ACCUSATIVE brachte mit, hat mitgebracht
  to bring back
prima *great*
neulich *recently*
Kultur die, -en *culture*
ihres Urlaubslandes *of their holiday country*
Urlaubsland das, ⸚er *holiday country*
Zahnpasta die, Zahnpasten *toothpaste*
Pasta die, Pasten *paste*
Zahn der, ⸚e *tooth*
Zeug das (singular only) *stuff*
Tube die, -n *tube*

Seite 26

Freitagnachmittag der, -e *Friday afternoon*
Zug der, ⸚e *train*
Südwesten der *the south west*
nordöstlich *to the north east*

Lektion 3

Seite 27

Gesundheit! *Bless you! (after sneeze)*
  Gesundheit die (singular only) *health*
Körper der, - *body*
Körperteil der, -e *part of the body*
Nase die, -n *nose*
Mund der, ⸚er *mouth*
Kopf der, ⸚e *head*
Ohr das, -en *ear*
Busen der, - *bosom, bust*
Rücken der, - *back*
Brust die, ⸚e *breast*
Fuß der, ⸚e *foot*
Bauch der, ⸚e *stomach*
Bein das, -e *leg*
Arm der, -e *arm*
Hals der, ⸚e *neck*
Schulter die, -n *shoulder*
Finger der, - *finger*
Haar das, -e *hair*
Knie das, - *knee*
Hand die, ⸚e *hand*
Klavier spielen *to play the piano*
  Klavier das, -e *piano*

Seite 28

fehlen + DATIVE *to be wrong*
Krankheit die, -en *illness*

Diabetes die (singular only) *diabetes*
Grippe die (singular only) *flu*
Rückenschmerzen (plural only) *backache*
Magenschmerzen (plural only) *stomach-ache*
Kopfschmerzen (plural only) *headache*
Schnupfen der (singular only) *cold*
Übergewicht das (singular only) *overweight*
Husten der (singular only) *cough*
Erkältung die, -en *cold*
Fieber das (singular only) *(high) temperature*
hoher (→ hoch) *high*
Blutdruck der (singular only) *blood pressure*
Allergie die, -n *allergy*
Lunge die, -n *lung*

Seite 29

Medikament das, -e *medicine, drug*
Tablette die, -n *tablet*
Tropfen (plural only) *drops*
abnehmen *to slim*
Ernährung die (singular only) *diet*
umstellen + ACCUSATIVE *to change*
Komparativ der, -e *comparative*
Punkt der, -e *point*

Seite 30

gesund *healthy*
Der Mensch ist, was er isst. *One is what one eats.*
Schaubild das, -er *(here) collage*
vollwertig *adequate*
Ernährungskreis der, -e *diet disc*
Überblick der, -e *overview*
Getreideprodukt das, -e *cereal product*
Milchprodukt das, -e *milk product*
Fett das, -e *fat*
Menge die, -n *quantity*
auswählen + ACCUSATIVE *to select*
schlank *slim*
bevorzugen + ACCUSATIVE hat bevorzugt *to give
  preference to*
reichlich *adequate*
abwechseln + bei DATIVE ich wechsle ab *to vary*
Wahl die (singular only) *choice, selection*
konsequent *consistent(ly)*
gehören + zu DATIVE *to belong to*
Nudeln (plural only) *pasta*
  Nudel die, -n *noodle*

Seite 31

Quiz das (singular only) *quiz*
Würfelzucker der, - *cube sugar*
light *low-calorie*
wiegen + ACCUSATIVE wog, hat gewogen *to weigh*
dick *fat*
Fasttag der, -e *food-free day*

Diät die, -en *diet*
Ehe die, -n *marriage*
Ahnung die, -en *idea*
raten *to guess*
wissen + dass ... / + ACCUSATIVE ich weiß, du weißt,
  sie/er weiß, wusste, hat gewusst *to know*
Professor der, -en *professor*
Untersuchung die, -en *investigation*
feststellen + ACCUSATIVE *to find out*
enthalten + ACCUSATIVE es enthält, enthielt, hat
  enthalten *to contain*
Kalorienzählen das *calorie counting*
Lady die, -s *lady*
gestorben (→ sterben) *died*
dass-Satz *dass-clause*
vermuten + dass-Satz / + ACCUSATIVE du vermutest,
  sie/er vermutet, hat vermutet *to suppose*

Seite 32

Adjektiv-Form die, -en *adjective form*
Superlativ der, -e *superlative*
steigern + ACCUSATIVE *to compare (adjectives)*
extra *separately*
wen *whom*
sympathisch *likeable*

Seite 33

Top ten (plural only) *top ten*
Grafik die, -en *diagram*
Essgewohnheiten (plural only) *eating habits*
Werbemanager der, - *advertising manager*
Rentnerin die, -nen *pensioner (female)*
Model das, -s *model*
Kohlenhändler der, - *coal merchant*
Eisbein das (singular only) *knuckle of pork*
Honig der (singular only) *honey*
Kognak der (singular only) *cognac, brandy*
Havanna die, -s *Havanna (cigar)*
Pommes (plural only) *chips, french fries*
statt *instead of*
morgens *in the morning*
Müsli das (singular only) *muesli*
Toast der, -s *toast*
Knäckebrot das (singular only) *crispbread*
Cornflakes (plural only) *corn flakes*
mittags *at midday*
Schnell-Imbiss der, -e *fast food outlet, snack bar*
isst gern Süßes: Schokolade *likes eating sweet things:
  chocolate*
trocken *dry*
Bratkartoffeln (plural only) *fried potatoes*
sich ernähren *to feed oneself*

Seite 34

Dann wird uns schlecht. *Then we feel ill.*

schlecht *bad*
frühstücken *to have breakfast*
Haut die (singular only) *skin*
Job der, -s *job*
solche *such*
Bedingung die, -en *condition*
„wenn"-Satz *"wenn" clause*
verliebt *in love*
Liebeskummer der (singular only) *love-sickness*
ans (= an das) *to the*

Seite 35

wäre *would be*
Besuchszeiten (singular only) *visiting times*
ungefähr *roughly*

Seite 36

Currywurst die, ⁼e *sausage in spicy sauce*
satt *full*
Schicht die, -en *shift*
down *down, depressed*
kauen + ACCUSATIVE *to chew*
mitgehen *to go along*
Ich kriege Appetit auf Currywurst.
  I fancy a sausage in spicy sauce.
  kriegen + ACCUSATIVE *to get*
  Appetit + auf ACCUSATIVE *a feeling for*
flau *queasy*
ausrutschen + DATIVE *to slip out of one's hand*
voll Currywurst *covered in currywurst*
Hemd das, -en *shirt*
Jacke die, -n *jacket*
Kacke die (singular only) *crap*
tags *by day*
Alkohol der (singular only) *alcohol*
getrunken (→ trinken) *drunk*
schimpfen + mit ACCUSATIVE *to tell off*
nach meinem Geschmack *to my liking*
geb. (= geboren) *born*
Musiker der, - *musician*
Hauptrolle die, -n *leading role*
sowie *as also*
Musikalbum das, Musikalben *album*
Single-Hit der, -s *hit single*
sensationell *sensational*
Erfolg der, -e *success*

Seite 37

Sauerkraut das (singular only) *sauerkraut*
..., oder? *(here:) ..., don't they?*
Speisekarte die, -n *menu*
ungesund *unhealthy*
Menü das, -s *set meal*
Vorspeise die, -n *starter*
Hauptgericht das, -e *main course*

Dessert das, -s *dessert*
Tomatencremesuppe die, -n *cream of tomato soup*
Tagessuppe die, -n *soup of the day*
warme Speisen *hot meals*
  warm *warm*
Vom Rind *beef*
  Rind das, -er *cow*
argent. = argentinisch *Argentinian*
Steak das, -s *steak*
Kräuterbutter die (singular only) *herb butter*
Wiener Schnitzel *Wiener Schnitzel*
  Schnitzel das, - *escalope*
Rinderroulade die, -n *beef olive*
Salzkartoffeln (plural only) *boiled potatoes*
Vom Schwein *pork*
  Schwein das, -e *pig*
Kraut das (singular only) *herb*
Jägerschnitzel das, - *escalope chasseur*
Schlachtplatte die, -n *cold meat platter*
Vegetarische Speisen *vegetarian dishes*
  vegetarisch *vegetarian*
Gemüseauflauf der, ⁻e *vegetarian baked pudding*
Grüne Soße *green sauce (Frankfurt speciality)*
  Soße die, -n *sauce*
Kalte Speisen *cold dishes*
  kalt *cold*
Handkäs' mit Musik *strong cheese with onions*
  Handkäs' der (singular only) *strong German round cheese*
Schneegestöber das, - *mixture of cheeses with spices and onion (lit. snow flurry)*
Strammer Max *open sandwich of ham and fried egg*
Frikadelle die, -n *meat ball*
Salatteller der, - *salad platter*
Bauernsalat der (singular only) *"farmer's salad"*
Schafskäse der (singular only) *sheep's milk cheese*
Knoblauchbrötchen das, - *garlic bread roll*
Feldsalat der (singular only) *corn salad, lamb's lettuce*
braten + ACCUSATIVE du brätst, sie/er brät, briet, hat gebraten *to fry*
Speck der (singular only) *bacon*
mischen + ACCUSATIVE *to mix*
Eis das (singular only) *ice-cream*
Sahne die (singular only) *cream*
Obstsalat der (singular only) *fruit salad*
Heiße Getränke *hot drinks*
  heiß *hot*
Cappuccino der, -s *cappuccino*
Espresso der, -s *espresso*
Heiße Schokolade *hot chocolate*
diverse *various*
Sorte die, -n *type*
Glühwein der (singular only) *mulled wine*
nicht-alkoholisch *non-alcoholic*
Spezi das, -s *cola and lemonade*
Apfelsaftschorle die, -n *apple juice shandy*
Binding Lager *Binding's lager*
  Lager das (singular only) *lager*
alkoholfrei *alcohol-free*

Fl = Flasche die, -n *bottle*
Radler das, - *shandy*
Cola-Bier das, -e *cola shandy*
Dunkles Weizen *dark wheat beer*
  dunkel *dark*
Kristall Weizen *Kristall wheat beer*
  Kristall das, -e *crystal*
halbtrocken *medium sweet*
trocken *dry*
Landwein der, -e *country wine*
Roséwein der, -e *rosé wine*
Weißherbst der (singular only) *German rosé*
Schorle die, -n *wine and mineral water*
Weißweinschorle die, -n *white wine and mineral water*
süß *sweet*

Seite 38

Sauergespritzte der, -n *apple wine and soda*
Apfelwein der (singular only) *apple wine*
Bauernbrot das, -e *firm brown bread*
Spiegelei das, -er *fried egg*
speziell *special*
Zwiebel die, -n *onion*
Essig der, -e *vinegar*
Öl das, -e *oil*
verschieden *various*
Fleischsorte die, -n *type of meat*
Pilzsoße die, -n *mushroom sauce*
Hühnersuppe die, -n *chicken soup*
Mischung die, -en *mixture*
Frischkäse der (singular only) *cream cheese*
Gericht das, -e *dish*
Creme die, -s *cream*
Minestrone die (singular only) *minestrone*
Mousse die (singular only) *mousse*
Miso-Suppe die (singular only) *miso soup*
Fleischbällchen das, - *meat ball*
Spinat der (singular only) *spinach*
Blätterteig der (singular only) *puff pastry/paste*
Gemüsesuppe die, -n *vegetable soup*
Reisgericht das, -e *rice dish*
Sojabohnenpaste die, -n *soya bean pasta*
Tofu der (singular only) *tofu*

Seite 39

Lieblingsgericht das, -e *favourite dish*
frittieren + ACCUSATIVE hat frittiert *to deep-fry*
Garnele die, -n *prawn*
alles Mögliche *everything you can think of*
Bahnhof der, ⁻e *train station*
Fragen Sie im Geschäft nach den Preisen, nach dem Material. *In a shop, ask the prices, the material.*
Material das, -ien *material*
Kursteilnehmerin die, -nen *class member (female)*
Universität die, -en *university*
sammeln + ACCUSATIVE ich sammle *to collect*

14

Heft das, -e *notebook*
aussprechen + ACCUSATIVE du sprichst aus, sie/er spricht
  aus, sprach aus, hat ausgesprochen *to pronounce*

Seite 40

lauter stellen *to turn up*
Was fehlt Ihnen denn? *What's the matter with you, then?*
  Ihnen *to you*
Tschüs und gute Besserung! *Cheers, and get well soon!*
  Besserung die (singular only) *improvement*
mager *low-fat*
Gleichfalls! *And you, too!*

Lektion 4

Seite 41

Typ der, -en *type*
künstlich *artificial*
Neid der (singular only) *envy*
Revolution die, -en *revolution*
Nervosität die (singular only) *tension*
Liebe die (singular only) *love*
Fernweh das (singular only) *wanderlust*
Glaube der (singular only) *faith*
Fantasie die (singular only) *fantasy, imagination*
Aberglaube der (singular only) *superstition*
Trauer die (singular only) *mourning*
Hoffnung die, -en *hope*
Tradition die, -en *tradition*
Kälte die (singular only) *coldness*
Wärme die (singular only) *warmth*
Treue die (singular only) *faithfulness*
Aktivität die, -en *activity*
Ich finde, das passt zu Gelb. *I think that goes with yellow.*
  gelb *yellow*

Seite 42

wirken *to have an effect*
hell *light*
stehen + für ACCUSATIVE *to stand for*
allgemein *general*
lichtvoll *full of light*
Kraft die, ⁼e *force*
orange *orange*
Wissen das (singular only) *knowledge*
heiter *cheerful*
strahlend *radiant*
Leidenschaft die, -en *passion*
fördern + ACCUSATIVE *to promote*
Wachstum das (singular only) *growth*
Pflanze die, -n *plant*
anregend *stimulating*
aufregend *exciting*
signalisieren + ACCUSATIVE hat signalisiert *to signal*

Himmel der (singular only) *heaven, sky*
Treue die (singular only) *faithfulness, loyalty*
zugleich *at the same time*
vermitteln + zwischen DATIVE ich vermittle, hat
  vermittelt *to mediate*
Fruchtbarkeit die (singular only) *fruitfulness*
vermischt *mixed*
jugendlich *youthful*
Frühlingsmorgen der, - *spring morning*
auf sich ziehen + ACCUSATIVE *to attract*
Aufmerksamkeit die (singular only) *attention*
Signalfarbe die, -n *signal colour*
Baustelle die, -n *building site*
Unbewusste das (singular only) *unconscious*
Geheimnis das, -se *secret*
entweder *either*
eher *more*
Tod der (singular only) *death*
Einsamkeit die (singular only) *loneliness*
rötlich *reddish*
Variante die, -n *variant*
symbolisieren + ACCUSATIVE hat symbolisiert
  to symbolise
himmlisch *heavenly*
katholisch *Catholic*
mögen + ACCUSATIVE ich mag, du magst, sie/er mag,
  mochte, hat gemocht *to like*

Seite 43

schwarz *black*
grau *grey*
graugrün *grey-green*
Teint der, -s *complexion*
blass *pale*
sich verändern *to change*
Farbberatung die (singular only) *colour advice*
einteilen + in + ACCUSATIVE *to divide*
Jahreszeit die, -en *season*
Lieblingsjahreszeit die, -en *favourite season*
ideal *ideal*
harmonieren *to harmonise*
optimal *optimally*
sich kleiden *to dress*
betonen + ACCUSATIVE *to stress*

Seite 44

Frühlingstyp der, -en *spring type*
besondere *special*
Merkmal das, -e *characteristic*
zart *tender*
zerbrechlich *fragile*
Aussehen das (singular only) *appearance*
Aufregung die (singular only) *excitement*
leicht *easily*
Fleck der, -en *patch*
charakteristisch *characteristic*

Augenfarbe die, -n *eye colour*
goldbraun *golden brown*
Sommertyp der, -en *summer type*
Unterton der, ⸚e *undertone*
Schatten der, -en *shadow*
aschblond *ashen blonde*
mittelbraun *medium brown*
mausgrau *mousey grey*
sich färben + ACCUSATIVE *to colour*
graublau *greyish blue*
hellblau *light blue*
hellbraun *light brown*
Herbsttyp der, -en *autumn type*
golden *golden*
honigfarben *honey coloured*
kräftig *strong*
Sonnenbrand der, ⸚e *sunburn*
Ton der, ⸚e *tone*
intensiv *intensive*
dunkelbraun *dark brown*
Wintertyp der, -en *winter type*
faszinieren *to fascinate*
dramatisch *dramatically*
durchsichtig *transparent*
schwarzbraun *dark brown*
relativ *relatively*
klar *clear*
tiefblau *deep blue*
Farbsystem das, -e *colour system*
gelten du giltst, sie/er/es gilt, galt, hat gegolten
   to be valid
Volksgruppe die, -en *ethnic group*
Mischung die, -en *mixture*
von Natur aus *by nature*
   Natur die (singular only) *nature*
Skandinavien (das) *Scandinavia*
Mitteleuropa (das) *Central Europe*
persönlich *personal*
beige *beige*
grell *garish, loud*
tragen du trägst, sie/er/es trägt, trug, hat getragen
   + ACCUSATIVE *to wear*
rauchig *smokey*
jeansblau *denim blue*
altrosa *old rose*
erdig *earthy*
rötlich *reddish*
khaki *khaki*
rostrot *rust*
grünlich *greenish*
knallig *gaudy*
tief *deep*
pink *pink*
erschlagen du erschlägst, sie/er/es erschlägt, erschlug,
   hat erschlagen *to kill*
ausprobieren + ACCUSATIVE *to try out*
Eindruck der, ⸚e *impression*
Stil der, -e *style*

mindestens *at least*
Genus-Signal das, -e *gender marker*
Artikel-Ende das, -n *end of the article*
Kleiderkauf der (singular only) *clothes shopping*
Mode die, -n *fashion*
Bluse die, -n *blouse*
pflegeleicht *easy-care*
Weste die, -n *waistcoat*
Rock der, ⸚e *skirt*
Gürtel der, - *belt*
Blazer der, - *blazer*
klassisch *classic*
Jeans die, - *jeans*
modisch *fashionable*
T-Shirt das, -s *t-shirt*
Sakko das, -s *sports jacket*
Mischgewebe das, - *mixed fibres*
Leinen das (singular only) *linen*
Viskose die (singular only) *viscose*
Baumwoll-Hemd das, -en *cotton shirt*
bügelfrei *non-iron*
Seiden-Krawatte die, -n *silk tie*
Baumwoll-Hose die, -n *cotton trousers/pants*
Kleidungsstück das, -e *item of clothing*

Kleider (plural only) *clothes*
erfolgreich *successful*
Tochter die, ⸚ *(here) subsidiary*
Pharma-Konzern der, -e *pharmaceutical company*
Geschäftsbereich der, -e *department*
Business das (singular only) *business*
nächstmöglich *earliest possible*
Fremdsprachensekretärin die, -nen /
   Fremdsprachensekretär der, -e *bilingual secretary*
   (female, male)
PC-Kenntnisse (plural only) *computing/IT skills*
grafische Programme *graphics programs*
   grafisch *graphics*
   Programm das, -e *program*
Flexibilität die (singular only) *flexibility*
Belastbarkeit die (singular only) *resilience*
Organisationstalent das, -e *organisational flair*
Gewandtheit die (singular only) *dexterity*
Auftreten das (singular only) *manner*
auszeichnen + ACCUSATIVE *to mark out*
offen *open*
Arbeitsklima das (singular only) *working climate*
senden + DATIVE + ACCUSATIVE du sendest, sie/er sendet,
   sandte, hat gesandt *to send*
vollständig *complete*
Unterlagen (plural only) *documentation*
GmbH die, -s *PLC, limited company*
dunkelblau *dark blue*
rosafarben *pink*

Hose die, -n *trousers*
Seidenbluse die, -n *silk blouse*
rosa *pink*
türkis *turquoise*
türkisfarben *turquoise-coloured*
lila *lilac*
lilafarben *lilac-coloured*
Anlass der, -̈e *occasion*
Vorstellungsgespräch das, -e *job interview*
gedacht *thought*
dunkelgrün *dark green*
dunkelblau *dark blue*
Größe die, -n *size*
darauf ankommen *to depend*
in Dunkelbraun *in dark brown*
kombinieren + ACCUSATIVE + mit ACCUSATIVE hat
  kombiniert *to combine*
elegant *elegant*
darin *in it*
empfehlen + DATIVE + ACCUSATIVE du empfiehlst, sie/er
  empfiehlt, empfahl, hat empfohlen *to recommend*
gleiche *same*

Seite 47

Pullover der, - *pullover*
orangefarben *orange coloured*
unbestimmt *indefinite*
Geschäftsessen das, - *business lunch*
Kostümball der, -̈e *masked ball*
Hochzeit die, -en *wedding*
Beerdigung die, -en *funeral*
Picknick das, -s *picnic*
Geburtstagsparty die, -s *birthday party*
Seide die (singular only) *silk*
eng *narrow*
weit *broad*
ausgezeichnet *splendidly*

Seite 48

Yuppie der, -s *yuppie*
Rentner der, - *pensioner*
Kleidung die (singular only) *clothing*
altmodisch *old-fashioned*
sonstiges *other*
Gesprächspartner der, - *interlocutor / speaking with ...*
U-Bahn-Station die, -en *underground/subway station*
Penthouse das (auch: Penthaus das, -̈er) *penthouse*
Rundfunk der (singular only) *radio*
Anzug der, -̈e *suit*
Politiker der, - *politician*
Lokal das, -e *restaurant*
älter *elderly*
gewöhnlich *normal*
Werktag der, -e *working day, weekday*
Klischee das, -s *cliché*
Fall der, -̈e *case*

Wahrheit die, -en *truth*
arm *poor*
intelligent *intelligent*

Seite 49

No new vocabulary.

Seite 50

Gras das, -̈er *grass*
Blut das (singular only) *blood*
Pech das (singular only) *pitch*
hellrot *bright red*
grasgrün *grass-green*
Telefonzelle die, -n *telephone kiosk*
Feuerwehrauto das, -s *fire engine*
Polizeiuniform die, -en *police uniform*
Briefkasten der, -̈ *letter box*
Post die (singular only) *post*
Krankenwagen der, - *ambulance*
Polizeiauto das, -s *police car*
Straßenmarkierung die, -en *road marking*
sich ärgern *to get annoyed*
rot werden *to blush*
blaumachen *to skip work*
schwarzarbeiten *to work on the side*
… wenn ihm die Kollegen nicht grün sind.
  … if he is not in his colleagues' good books.
schwarzfahren *to ride without a ticket*
davonkommen + mit DATIVE kam davon, ist
  davongekommen *to get away with*
dasselbe *the same*
wütend *angry*
illegal *illegal(ly)*
Lohnsteuerkarte die, -n *tax card*
Schaden der, -̈ *damage*
erleiden + ACCUSATIVE du erleidest, sie/er erleidet, erlitt,
  hat erlitten *to suffer*
Fahrschein der, -e *ticket*
öffentlich *public*
Verkehrsmittel das, - *means of transport*
Gefühl das, -e *feeling*
kontrollieren + ACCUSATIVE hat kontrolliert *to control*

Seite 51

Zeichnung die, -en *drawing*
bohren + SITUATION *to pick*
Wand die, -̈e *wall*
lauschen + SITUATION *to listen*
Sitzplatz der, -̈e *seat*
anbieten + DATIVE + ACCUSATIVE du bietest an, sie/er
  bietet an, bot an, hat angeboten *to offer*
Schuh der, -e *shoe*
Tischdecke die, -n *table cloth*
schmutzig *dirty*
Moschee die, -n *mosque*

Sex der (singular only) *sex*
fälschen + A<small>CCUSATIVE</small> *to forge*
Tabu das, -s *taboo*

Seite 52

Baumwolle die (singular only) *cotton*

Seite 53

gewinnen + A<small>CCUSATIVE</small> gewann, hat gewonnen
  to win
Geldstück das, -e *coin*
Spieler der, - *player*
Länderspiel das, -e *"countries" game*
Münze die, -n *coin*
Zweicentstück das, -e *two-cent coin*
Fünfcentstück das, -e *five-cent coin*
Spielfeld das, -er *board*
ablegen + A<small>CCUSATIVE</small> *to place*
aussuchen + A<small>CCUSATIVE</small> *to select*
Spielerin die, -nen *player (female)*
Diagonale die, -n *diagonal line*

Seite 55

Himmelsrichtung die, -en *point of the compass*
stattfinden + S<small>ITUATION</small> es findet statt, fand statt,
  hat stattgefunden *to take place*
Unterschied der, -e *difference*
Reiseführer der, - *travel guide*
Kompositum das, Komposita *compound*

Arbeitsbuch

Arbeitsbuch Seite 59

Umfrage die, -n *survey*
Lebenspartner der, - *partner*
Unordnung die (singular only) *mess*
Durcheinander das (singular only) *mess*

Arbeitsbuch Seite 60

Rücksicht die, -en *consideration*
ganztags *full-time*
einen Computerkurs anfangen *to start a computer
  course*
Ballspiel *ball game*

Arbeitsbuch Seite 61

unzufrieden *unhappy*
Wohnsituation die (singular only) *accommodation
  situation*

Arbeitsbuch Seite 62

rennen + D<small>IRECTION</small> rannte, ist gerannt *to run*
Zeitungsanzeige die, -n *newspaper advert*
schneiden + A<small>CCUSATIVE</small> du schneidest, sie/er schneidet,
  schnitt, hat geschnitten *to cut*

Arbeitsbuch Seite 63

merken + A<small>CCUSATIVE</small> *to notice*
Raucher der, - *smoker*
Ordnungsfimmel der (singular only) *obsession with
  tidiness*
ordentlich *tidy*
Kaffeetasse die, -n *coffee cup*
rumstehen + S<small>ITUATION</small> stand rum, ist/hat
  rumgestanden *to be left lying around*
nervig sein *to get on one's nerves*
anständig *respectable, proper*
Musikstudio das, -s *music studio*
losziehen, zog los, ist losgezogen *to set off*

Arbeitsbuch Seite 66

davor *before*
Schwimmbad das, ¨-er *(public) swimming pool*

Arbeitsbuch Seite 67

Englischkurs der, -e *English course*
Überraschung *surprise*
Zustimmung die (singular only) *agreement*
Erklärung die, -en *explanation*

Arbeitsbuch Seite 68

Silbengrenze die, -n *end of a syllable*
Weinglas das, ¨-er *wine glass*
Terminkalender der, - *engagement calendar*
Zeigefinger der, - *forefinger*
Unterkiefer der, - *lower jaw*
Globalisierung die (singular only) *globalisation*

Arbeitsbuch Seite 69

Wohnheim das, -e *hostel, hall of residence*

Arbeitsbuch Seite 70

Thema das, Themen *topic*
berichten + über A<small>CCUSATIVE</small> *to report on*
Wut die (singular only) *anger*

Arbeitsbuch Seite 71

Werkstatt die, ¨-en *workshop*

Arbeitsbuch Seite 73

Karibik die *Caribbean*
Campingurlaub der (singular only) *camping holiday*
Strandurlaub der (singular only) *beach holiday*
Familienurlaub der (singular only) *family holiday*
Dorf das, ¨er *village*
tauchen *to dive*
Wind der, -e *wind*

Arbeitsbuch Seite 74

Camping das (singular only) *camping*
Tischtennis das (singular only) *table tennis*
abspülen + ACCUSATIVE *to wash up*

Arbeitsbuch Seite 75

verlieren, verlor, hat verloren *to lose*
Appartement das, -s *flat, apartment*
Radtour die, -en *cycle tour*
losgehen, ging los, ist losgegangen *to set off*
umziehen, zog um, ist umgezogen *to move*

Arbeitsbuch Seite 76

umziehen, zog um, ist umgezogen *to move*
rechtzeitig *in good time*
Urlaub nehmen *to agree a holiday*
Spanischkurs der, -e *Spanish course*

Arbeitsbuch Seite 77

Pannen-Urlaub der (singular only) *holiday full of mishaps*
aussteigen, stieg aus, ist ausgestiegen *to get out*
Maschinenschaden der, ¨ *engine trouble*
Anschlussflug der, ¨e *connecting flight*
Ehepaar das, -e *married couple*
Handwerker der, - *workman*
Lärm der (singular only) *noise*
unerträglich *unbearable*
ungebeten *uninvited*
Bungalow der, -s *bungalow*
Ameise die, -n *ant*
Kakerlake die, -n *cockroach*
Decke die, -n *ceiling*
Angabe die, -n *detail*
Fünf-Sterne-Hotel das, -s *five star hotel*
Bruchbude die, -n *hovel*
rappelvoll *packed full (lit: rattling full)*
Badeurlaub der (singular only) *seaside holiday*
Kleingedruckte das (singular only) *small print*
schriftlich *in writing*
bestätigen + ACCUSATIVE *to confirm*

Arbeitsbuch Seite 78

zusammengesetzt *compound*
Spezialwort das, ¨er *special word*
Bedeutung die, -en *meaning*
Grundwort das, ¨er *basic word*
Geschäftsreise die, -n *business trip*
Leiter der, - *leader*
Leiterin die, -nen *leader (female)*
Versicherung die, -en *insurance*
Reisegepäck das (singular only) *luggage*
Reisefieber das (singular only) *travel nerves*
Reiseapotheke die, -n *first aid kit*
  Apotheke die, -n *chemist, drugstore*
Touristenzentrum das, Touristenzentren *tourist centre*
Hochzeitsreise die, -n *honeymoon*

Arbeitsbuch Seite 79

Karnevalsumzug der, ¨e *Carnival procession*

Arbeitsbuch Seite 80

Bundesstaat der, -en *federal state*
Alpengebiet das, -e *alpine region*
Rätoromanisch (das) *Rhaeto-Romanic*
Kanton der, -e *canton*
Industrieland das, ¨er *industrial country*
Maschinenbau der (singular only) *engineering*
Chemie die (singular only) *chemicals*
Finanzzentrum das, Finanzzentren *financial centre*
Nordwesten der *North West*
touristisch *tourist*
Attraktion die, -en *attraction*
Vorarlberg (das) *Vorarlberg (Austrian province)*
Kärnten (das) *Carinthia (Austrian province)*
Steiermark die *Steiermark (Austrian province)*
Oberösterreich (das) *Upper Austria*
Niederösterreich (das) *Lower Austria*
Burgenland das *Burgenland*
Nordosten der *North East*
Gesamtbevölkerung die (singular only) *total population*
nordöstlich *in the North East*
Reiseland das, ¨er *holiday destination*
Wintersportzentrum das, Wintersportzentren *winter sports centre*
Bundesdeutsche die/der, -n (ein Bundesdeutscher) *German (citizen of the Federal Republic)*
Ferienziel das, -e *holiday destination*
Wunder das, - *wonder*
Eintragung die, -en *entry (here: answer)*

Arbeitsbuch Seite 81

Kreuzworträtsel das, - *crossword puzzle*
waagerecht *across*

entfernt *distant*
südöstlich *to the South-East*
senkrecht *down*
Rätsel das, - *puzzle*

Arbeitsbuch Seite 82

Discomusik die (singular only) *disco music*
Cocktail der, -s *cocktail*
Beachvolleyball (das) (singular only) *beach volleyball*
Sonnenuntergang der, ⁺e *sunset*

Arbeitsbuch Seite 83

Silbenanfang der, ⁺e *beginning of a syllable*

Arbeitsbuch Seite 84

Sprechstunde die (singular only) *surgery*
Flüster-Gespräch das, -e *whispered conversation*
Gastspiel das, -e *guest performance*

Arbeitsbuch Seite 85

Ballungsgebiet das, -e *conurbation*

Arbeitsbuch Seite 86

Postkarte die, -en *postcard*
landeskundlich *about the country*
Informationstext der, -e *informative texts*

3 Arbeitsbuch Seite 89

zu Ende malen + ACCUSATIVE *to finish painting*
überlegen *to consider*

Arbeitsbuch Seite 90

weniger rauchen *smoke less*

Arbeitsbuch Seite 91

Bildschirm der, -e *screen, VDU*
Patientin die, -nen *patient (female)*
heben + ACCUSATIVE hob, hat gehoben *to lift*
wahrscheinlich *probably*
verschreiben + ACCUSATIVE verschrieb, hat verschrieben
 to prescribe

Arbeitsbuch Seite 92

Vergleich der, -e *comparison*
sparsam *thrifty*

Arbeitsbuch Seite 93

Hörerin die, -nen *listener (female)*
Hörer der, - *listener (male)*
Runde die, -n *round*
Fertiggericht das, -e *ready made meal*
Feinkostladen der, ⁺en *delicatessen*
Inlineskates (plural only) *inline skates, rollerblades*
gefährlich *dangerous*
Sportlerin die, -nen *sportswoman*
Sportler der, - *sportsman*

Arbeitsbuch Seite 94

Suite die, -n *suite*
Kasino das, -s *casino*
lebend *alive*
Weihnachtslied das, -er *Christmas carol*
still *silent*
heilig *holy*
Schachweltmeister der, - *World chess champion*
Rockgruppe die, -n *rock group*
Platte die, -n *record*
weiterarbeiten *to carry on working*
Heimweh das (singular only) *home-sickness*
Vokabel die, -n *vocabulary item*
reservieren + ACCUSATIVE *to reserve*

Arbeitsbuch Seite 95

atmen, du atmest, sie/er atmet, atmete, hat geatmet
 to breathe
beengt *cramped*
Niere die, -n *kidney*
ertragen + ACCUSATIVE du erträgst, sie/er erträgt, ertrug,
 hat ertragen *to bear*

Arbeitsbuch Seite 96

Anfangssatz der, ⁺e *opening sentence*
Kosmetik-Industrie die (singular only) *cosmetics
 industry*
häufigste *most common*
ansteckend *infectious*

Arbeitsbuch Seite 97

Stimmton der, ⁺e *voicing*
tief Luft holen *to draw a deep breath*
 tief *deep*
 Luft die (singular only) *breath*

Arbeitsbuch Seite 98

Gewitter das, - *thunderstorm*
Buche die, -n *beech*

Eiche die, -n *oak*
weichen + DATIVE wich, ist gewichen *to avoid*
Nichtraucher der, - *non-smoker*
Lasagne die, -n *lasagne*
Vollkornbrot das, -e *wholemeal bread*

Arbeitsbuch Seite 99

Pickel der, - *spot* en bouton (sur le jean)

Arbeitsbuch Seite 103

positiv *positive*
Merkwort das, ⸚er *word to remember*
Regenbogen der, ⸚ *rainbow*
Veilchen das, - *violet*
Apfelsine die, -n *orange*

Arbeitsbuch Seite 104

glatt *straight*
lockig *curly*
kraus *frizzy*
mit Sommersprossen *freckled*
  Sommersprosse die, -n *freckle*
köstlich *delicious*
Kompliment das, -e *compliment*

Arbeitsbuch Seite 105

schmal *narrow*
breit *broad*
Autohupe die, -n *car horn*

Arbeitsbuch Seite 106

Bildbeschreibung die, -en *picture description*
rotbraun *reddish brown*
Baumstamm der, ⸚e *tree trunk*
sich ziehen + DIRECTION zog sich, hat sich gezogen
  to stretch
filtern + ACCUSATIVE *to filter*
Sonnenlicht das (singular only) *sunlight*
begrenzen *to form the boundary*
Burnus der, -se *burnous (hooded cape)*
Kapuze die, -n *hood*
Beduine der, -n *Bedouin*
Turban der, -e *turban*
Teetasse die, -n *teacup*
Karaffe die, -n *carafe*
Vordergrund der (singular only) *foreground*
Künstler der, - *artist*
Markise die, -n *awning*
ziegelrot *tile-red, brick-red*
Feuerball der, ⸚e *ball of fire*
Atmosphäre die (singular only) *atmosphere*

friedlich *peaceful*
harmonisch *harmonious*
gest. = gestorben *died*
Künstlervereinigung die, -en *artists' group*
Reiter der, - *rider*
entstehen, entstand, ist entstanden *to originate*
Tunesien (das) *Tunisia*

Arbeitsbuch Seite 107

Krawatte die, -n *tie*
Socke die, -n *sock*
Kleid das, -er *dress*
Hut der, ⸚e *hat*
Arbeitsplatz der, ⸚e *workplace*

Arbeitsbuch Seite 108

Betriebsfest das, -e *firm's celebration*
Satinhose die, -n *satin trousers, (US) pants*
Leinenhose die, -n *linen trousers, (US) pants*
Gurkensalat der, -e *cucumber salad*
Sahnesauce die, -n *cream sauce*

Arbeitsbuch Seite 109

Wollpullover der, - *woollen pullover*
weinrot *wine-red*

Arbeitsbuch Seite 110

konservativ *conservative*
extravagant *extravagant*
sexy *sexy*

Arbeitsbuch Seite 111

spitz *pointed*
Stau der, -s *traffic jam*
Hawaiihemd das, -en *safari shirt*

Arbeitsbuch Seite 112

Frisur die, -en *hairstyle*
Ohrring der, -e *earring*
Bart der, ⸚e *beard*
komisch *strange*
Fitnessstudio *fitness centre*
Spruch der, ⸚e *saying*
menschlich *human*
Vernunft die (singular only) *reason*
fürchterlich *dreadful*
Schreck der (singular only) *fright*
Furcht die (singular only) *fear*
Langeweile die (singular only) *boredom*

ableiten + ACCUSATIVE + von DATIVE du leitest ab, sie/er
  leitet ab, leitete ab, hat abgeleitet *to derive*
weiblich *feminine*

Arbeitsbuch Seite 113

gurgeln *to gargle*
rosarot *pink*

Arbeitsbuch Seite 114

Problemfarbe die, -n *problem colour*
Winterkleid das, -er *winter dress*
Zungenbrecher der, - *tongue-twister*

Arbeitsbuch Seite 115

Braunton der, ˵e *shade of brown*

Arbeitsbuch Seite 116

Redewendung die, -en *figure of speech*

Arbeitsanweisungen

Language of instructions

Antworten Sie.	Answer.
Arbeiten Sie in Gruppen.	Answer in groups.
Beantworten Sie die Fragen.	Answer the questions.
Berichten Sie.	Report.
Beschreiben Sie.	Describe.
Bilden Sie Sätze.	Form sentences.
Diskutieren Sie.	Discuss.
Ergänzen Sie.	Complete.
Ersetzen Sie die Bilder durch die passenden Wörter.	Replace the pictures with the appropriate words.
Finden Sie weitere Fragen.	Find further questions.
Fragen Sie Ihren Nachbarn.	Ask your neighbour.
Hören Sie ... (bitte) noch einmal.	(Please) listen ... once again.
Interviewen Sie die anderen Kursteilnehmer / Ihre Nachbarn.	Interview the other course members / your neighours.
Korrigieren Sie die Fehler.	Correct the mistakes.
Lesen Sie (den Text).	Read (the text).
Lesen Sie weiter.	Read on.
Lesen Sie vor.	Read out loud.
Lösen Sie das Rätsel.	Solve the puzzle.
Machen Sie aus Adjektiven Nomen.	Make nouns from adjectives.
Markieren Sie.	Tick. / Mark.
Notieren Sie (die Antworten).	Note down (the answers).
Ordnen Sie.	Sort.
Ordnen Sie zu.	Match.
Raten Sie.	Guess.
Sagen Sie die Wörter laut.	Say the words out loud.
Schauen Sie das Bild an.	Look at the picture.
Schreiben Sie eigene Dialoge.	Write your own dialogues.
Singen Sie gemeinsam.	Sing together.
Singen Sie mit.	Sing along.
Sortieren Sie (die Sätze).	Rearrange (the sentences).
Spielen Sie dann Ihren Dialog vor.	Then act out your dialogue.
Sprechen Sie mit Ihren Nachbarn.	Speak with your neighbour.
Sprechen Sie nach.	Repeat.
Sprechen Sie über die Bilder.	Speak about the pictures.
Suchen Sie die Adjektive im Text.	Look for the adjectives in the text.
Tauschen Sie die Rätsel im Kurs.	Exchange the puzzles round the class.
Üben Sie.	Practise.
Überlegen Sie: Wie heißen ...?	Think it over: What is the word for ...?
Unterstreichen Sie (die Adjektive).	Underline (the adjectives).
Vergleichen Sie.	Compare.
Wählen Sie ein Gedicht.	Choose a poem.
Was bedeuten die Wörter?	What do the words mean?
Was denken Sie?	What do you think?
Was ist richtig: a, b oder c?	Which is right: a, b or c?
Was meinen Sie?	What do you think?
Was passt (wo)?	What fits (where)?
Was passt zu welchem Dialog?	What fits which dialogue?
Was passt zusammen?	What goes together?
Welche Regeln gelten für welche Gruppen?	Which rules apply to which groups?
Welches Bild kommt zuerst?	Which picture comes first?
Wer gehört zu wem?	Who belongs to whom?
Wie finden Sie ...?	What do you think of ...?
zu zweit / zu dritt / zu viert	in pairs / in groups of three/four

Der Tisch ist toll.

Den finde ich nicht schön.

23

Und ein paar Lerntipps

Lese-Raten

Üben Sie Lese-Raten: Nehmen Sie ein Blatt Papier, legen Sie es auf den Text und verstecken Sie so einen Teil der Textzeile.

Vor allem in den Großstädten sind Wohnungen sehr teuer. –

Versuchen Sie jetzt die Wörter zu raten und den Satz zu lesen. Vergleichen Sie dann mit dem kompletten Satz (ohne Blatt). Welche Wörter sind einfach, welche sind schwierig?
Trainieren Sie Lese-Raten immer wieder.

Mit Lese-Raten lesen Sie bald wie ein Profi.

Vokabeln lernen

Viele positive Adjektive bekommen durch die Vorsilbe un- eine negative Bedeutung:
zufrieden   unzufrieden
bequem   unbequem
freundlich   unfreundlich
Der Wortakzent ist immer auf der Vorsilbe un-.
Bei neuen Adjektiven überprüfen Sie im Wörterbuch: Gibt es auch das negative Adjektiv mit der Vorsilbe un-? Lernen Sie dann immer gleich beide Formen.

And a few learning tips

Guess-reading

Practise guess-reading: Take a piece of paper, put it over the text and cover up part of the line of text.

Vor allem in den Großstädten sind Wohnungen sehr teuer. –

Now try to guess the words and to read the sentence. Then compare with the complete sentence (without the covering paper). Which words are easy, which are difficult? Practise guess-reading again and again.

Mit Lese-Raten lesen Sie bald wie ein Profi.

Learning vocabulary

Many positive adjectives are given a negative meaning by adding the prefix un-:
zufrieden   unzufrieden
bequem   unbequem
freundlich   unfreundlich
The word stress is always on the prefix un-. When you encounter a new adjective, check in the dictionary: is there also a negative adjective with the prefix un-? Then learn both forms together.

Grammar summary

Overview

Word formation

III   Sentences

I Sounds

1 The alphabet

Aa [a:] Bb [be:] Cc [tse:] Dd [de:] Ee [e:] Ff [εf] Gg [ge:]
Hh [ha:] Ii [i:] Jj [jɔt] Kk [ka:] Ll [εl] Mm [εm] Nn [εn]
Oo [o:] Pp [pe:] Qq [ku:] Rr [εr] Ss [εs] Tt [te:] Uu [u:]
Vv [fao] Ww [ve:] Xx [iks] Yy [ypsilɔn] Zz [tset]

Umlauts: Ää [ε:] Öö [ø:] Üü [y:]

Diphthongs: Ei/ei [ai] Au/au [ao] Eu/eu/Äu/äu [oi]

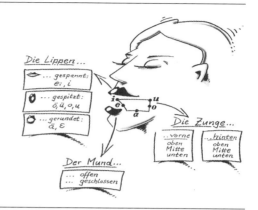

[e:] indicates a long vowel.

2 Vowels, umlauts and diphthongs

written:	spoken:	example:
a	[a]	dann, Stadt
a, aa, ah	[a:]	Name, Paar, Fahrer
e	[ε]	kennen, Adresse
	[ə]	kennen, Adresse
e, ee, eh	[e:]	den, Tee, nehmen
i	[ɪ]	Bild, ist, bitte
i, ie, ih	[i:]	gibt, Spiel, ihm
ie	[jə]	Familie, Italien
o	[ɔ]	doch, von, kommen
o, oo, oh	[o:]	Brot, Zoo, wohnen
u	[ʊ]	Gruppe, hundert
u, uh	[u:]	gut, Stuhl
y	[y]	Gymnastik, System

Umlauts		
ä	[ε]	Gäste, Länder
ä, äh	[ε:]	spät, wählen
ö	[œ]	Töpfe, können
ö, öh	[ø]	schön, fröhlich
ü	[y]	Stück, Erdnüsse
ü, üh	[y:]	üben, Stühle

Diphthongs		
ei, ai	[ai]	Weißwein, Mai
eu, äu	[ɔy]	teuer, Häuser
au	[aʊ]	Kaufhaus, laut

3 Consonants and consonant combinations

Consonants		
b*, bb	[b]	Bier, Hobby
d*	[d]	denn, einladen
f, ff	[f]	Freundin, Koffer
g*	[g]	Gruppe, Frage
h	[h]	Haushalt, hallo
j	[j]	Jahr, jetzt
k, ck	[k]	Küche, Zucker
l. ll	[l]	Lampe, alle
m, mm	[m]	mehr, Kaugummi
n, nn	[n]	neun, kennen
p, pp	[p]	Papiere, Suppe
r, rr, rh	[r]	Büro, Gitarre, Rhythmus
s, ss	[s]	Eis, Adresse
	[z]	Sofa, Gläser
t, tt, th	[t]	Titel, bitte, Methode
v	[f]	verheiratet, Dativ
	[v]	Vera, Verb, Interview
w	[v]	Wasser, Gewürze
x	[ks]	Infobox, Text
z	[ts]	Zettel, zwanzig

*At the end of a word or syllable		
-b	[p]	Urlaub, Schreibtisch
-d, -dt	[t]	Fahrrad, Stadt
-g	[k]	Dialog, Tag
-ig	[ç]	günstig, ledig
-er	[ɐ]	Mutter, vergleichen

Consonants in words from other languages		
c	[s]	City
	[k]	Computer, Couch
ch	[ʃ]	Chance, Chef
j	[dʒ]	Jeans, Job
ph	[f]	Alphabet, Strophe

Consonant combinations				At the beginning of a word or syllable		
ch	[ç]	nicht, rechts, gleich, Bücher		st	[ʃt]	stehen, verstehen
	[x]	acht, noch, Besuch, auch		sp	[ʃp]	sprechen, versprechen
	[k]	Chaos, sechs				
ng	[ŋ]	langsam, Anfang				
nk	[ŋk]	danke, Schrank				
qu	[kv]	Qualität				
sch	[ʃ]	Tisch, schön				
-t- before -ion	[ts]	Lektion, Situation				

§ 4 Word stress

1. The stress within a word

In German words the stress always falls on the root syllable.

gehen, kommen, Deutschbuch, Küche

In words not of German origin the stress falls on the penultimate or final syllable.

Computer, telefonieren, Polizei, Dialog, Hotel

2. Word stress: short or long?

Stressed vowel	Rule
long vowel [a]	1. vowel + h *sehr, zehn, Jahre, Zahl* 2. vowel + vowel *Boot, Tee, Lied, Eis* 3. root vowel + single consonant *gut, Weg, geben, haben*
short vowel [a]	1. vowel + double consonant *kommen, Wasser, Gruppe, bitte* 2. vowel + 2 or 3 consonants *ich, ist, richtig, ganz, kurz*

II Words

Verbs

5 The infinitive - the basic form of the verb

essen, heißen, kommen, gehen

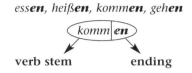

komm | en

verb stem   ending

> In a dictionary verbs are given in the infinitive.

6 Present tense

komm | en

Singular	verb stem + ending	
1st person: **ich**	komm-e	
2nd person: **du**	komm-st	
3rd person: **sie / er / es**	komm-t	
Plural		
1st person: **wir**	komm-en	
2nd person: **ihr**	komm-t	
3rd person: **sie / Sie**	komm-en	

> Hallo! Ich heiße Yoko Yoshimoto.

7 Irregular verbs in the present tense

1. sein / haben

	sein	haben	werden
ich	bin	habe	werde
du	bist	hast	wirst
sie / er / es / man	ist	hat	wird
wir	sind	haben	werden
ihr	seid	habt	werdet
sie / Sie	sind	haben	werden

2. Verbs with vowel change in the 2nd and 3rd person singular

Vowel change e → i, e → ie

	2nd person singular	3rd person singular
sprechen	**du** sprichst	**sie / er / es / man** spricht
nehmen	du nimmst	sie / er / es / man nimmt
sehen	du siehst	sie / er / es / man sieht
lesen	du liest	sie / er / es / man liest
geben	du gibst	sie / er / es / man gibt
essen	du isst	sie / er / es / man isst
helfen	du hilfst	sie / er / es / man hilft

Vowel change a → ä

	2nd person singular	3nd person singular
schlafen	**du** schläfst	**sie / er / es / man** schläft
tragen	du trägst	sie / er / es / man trägt
fahren	du fährst	sie / er / es / man fährt

§ 8 Separable and inseparable verbs

1. Separable verbs

*Ruth **holt** Anna vom Kindergarten **ab**.*

*Thomas **steht** um 7 Uhr **auf** und macht das Frühstück.*

Prefix	Root syllable
ab-	holen
ab-	stellen
auf-	stehen
auf-	hängen
auf-	räumen

Prefix	Root syllable
an-	machen
an-	ziehen
aus-	sehen
aus-	machen
ein-	packen
ein-	kaufen

Prefix	Root syllable
mit-	gehen
zu-	hören
vor-	lesen

Separable verbs:	Word stress ●○○○	vorlesen
Inseparable verbs:	Word stress ○●○	erklären

2. Inseparable verbs

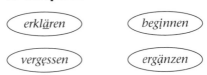

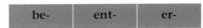

Die Lehrerin  *die Verben.*

be-	ent-	er-

ge-	miss-

ver-	zer-	wider-

9 Imperative

1. The use of the imperative

Setzen Sie sich doch, bitte!

Request:	**Gib** mir das Wörterbuch, *bitte*!
Tip:	**Kauf** ihnen *doch* ein paar Süßigkeiten!
Order:	**Gib ihr** *sofort* das Feuerzeug!
Prohibition:	**Spiel** *nicht* mit dem Feuer!

2. The form of the imperative

infinitive	du		ihr		Sie	
kommen	Komm	-!	Komm	-t!	Komm	-en Sie!
kaufen	Kauf	-!	Kauf	-t!	Kauf	-en Sie!
▶ geben	Gib	-!	Geb	-t!	Geb	-en Sie!

3. Position in the sentence

	Position 1	Position 2
du form:	*Komm*	*doch mal zu einem Kaffee!*
Sie form:	*Schauen*	*Sie doch mal bei den Milchprodukten!*

4. Imperative of separable verbs

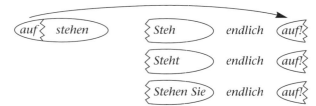

10 Modal verbs

German has 6 modal verbs:

dürfen	**können**	**möchten**	**müssen**	**sollen**	**wollen**

1. Position in the sentence

Position 1	Position 2		End
Ich	*möchte*	*dieses Jahr Deutsch*	*lernen* .
	Conjugated modal verb	Verb bracket	2nd verb in infinitive

2. Modal verbs: meaning

dürfen	können	möchten (mögen)	müssen	sollen	wollen
Permission and prohibition	Possibility	Wish	Necessity	Offer, suggestion	Strong wish, will
Ich **darf** heute lange schlafen. Ich **darf** heute **nicht** lange schlafen.	Ich **kann** schlafen oder fernsehen.	Ich **möchte** jetzt schlafen.	Ich **muss** mehr schlafen.	Ich **soll** schlafen.	Ich **will** schlafen.

3. Conjugation of modal verbs in present tense

	müssen	sollen	wollen	können	dürfen	möchten
ich	muss	soll	will	kann	darf	möchte
du	musst	sollst	willst	kannst	darfst	möchtest
sie/er/es/man	muss	soll	will	kann	darf	möchte
wir	müssen	sollen	wollen	können	dürfen	möchten
ihr	müsst	sollt	wollt	könnt	dürft	möchtet
sie/Sie	müssen	sollen	wollen	können	dürfen	möchten

4. Conjugation of modal verbs in the Preterite

	müssen	sollen	wollen	können	dürfen	möchten
ich	musste	sollte	wollte	konnte	durfte	mochte
du	musstest	solltest	wolltest	konntest	durftest	mochtest
sie/er/es/man	musste	sollte	wollte	konnte	durfte	mochte
wir	mussten	sollten	wollten	konnten	durften	mochten
ihr	musstet	solltet	wolltet	konntet	durftet	mochtet
sie/Sie	mussten	sollten	wollten	konnten	durften	mochten

11 | Perfect tense

1. Position in the sentence

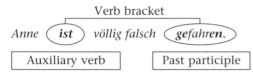

Verb bracket

Anne (**ist**) *völlig falsch* (*gefahren.*)

Auxiliary verb   Past participle

Sie (**hat**) *einen Taxifahrer nach dem Weg* (*gefragt.*)

Aber er (**hat**) *sie in die falsche Richtung* (*geschickt.*)

> "sein" and "haben" are auxiliary verbs.
> They are conjugated. "gefahren", "gefragt"
> and "geschickt" are verbs in the past
> participle form.
> → **Perfect = auxiliary + Past participle**

2. Auxiliaries in the Perfect tense: "sein" and "haben"

Auxiliary verb **"haben"**.
Most verbs form their perfect with "haben".

Auxiliary verb **"sein"** :
a) Movement → goal
   (e.g. *gehen, fliegen, kommen*)
b) **the verbs sein, bleiben and werden**

	sein	haben
ich	bin	habe
du	bist	hast
sie/er/es/man	ist	hat
wir	sind	haben
ihr	seid	habt
sie/Sie	sind	haben

3. Forms of the past participle

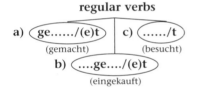

regular verbs

a) (ge....../(e)t)   c) (....../t)
   (gemacht)   (besucht)
b) (....ge..../(e)t)
    (eingekauft)

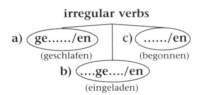

irregular verbs

a) (ge....../en)   c) (....../en)
   (geschlafen)   (begonnen)
b) (....ge..../en)
    (eingeladen)

a) **Normal verbs** (e.g. *machen, warten, lernen, essen*)
   ▶ regular: *Wir <u>sind</u> direkt ins Hotel <u>gefahren</u>.*
   irregular: *Ralf <u>ist</u> im Hotel <u>geblieben</u>.*

b) **Separable verbs** (e.g. *aufwachen, losgehen, aufstehen*)
▶   regular: *Der Bus <u>hat</u> uns zu spät <u>abgeholt</u>.*
   irregular: *Wir <u>sind</u> dann allein <u>losgegangen</u>.*

c) **Inseparable verbs** (e.g. *besuchen, beginnen, ergänzen*)
   ▶ regular: *Wir <u>haben</u> in Las Vegas eine Show <u>besucht</u>.*
   irregular: *Unsere Weltreise <u>hat</u> gut <u>begonnen</u>.*

> **Regular or irregular?**
>
> In irregular verbs the **stem** is not always the same
>
> **sprechen**
>
> | | | |
> |---|---|---|
> | ich spreche | ich sprach | ich habe gesprochen |
> | du sprichst | du sprachst | du hast gesprochen |
> | *er spricht | er sprach | er hat gesprochen |
>
> *It is best to look up the form in the 3rd person singular (er spricht, er sprach, er hat gesprochen)

Auxiliary verbs in the Preterite

	sein	haben	werden
ich	war	hatte	wurde
du	warst	hattest	wurdest
sie/er/es/man	war	hatte	wurde
wir	waren	hatten	wurden
ihr	wart	hattet	wurdet
sie/Sie	waren	hatten	wurden

... als ich jung war, hatte ich
einen Alfa Romeo.

Papa, kaufst du uns ein Eis?

Verb + complement

Verbs with a nominative complement
(schwimmen, schlafen, arbeiten etc.)

Nominative complement: „Vera“ — arbeiten

Vera arbeitet .
NOM

Verbs with nominative and accusative complements
(trinken, essen, sehen, hören, lesen etc.)

NOM — trinken — Accusative complement „einen Tee“

Vera trinkt einen Tee .
NOM   ACC

Verbs with nominative and dative complements
(helfen, gefallen, danken etc.)

NOM — helfen — Dative complement „mir“

Vera, hilfst du mir bitte?
NOM   NOM DAT

Verbs with nominative, accusative and dative complements
(schreiben, kaufen, geben, nehmen, zeigen etc.)

NOM — schreiben — ACC
Dative complement: „ihrer Mutter“

Vera schreibt ihrer Mutter einen Brief .
NOM   DAT   ACC

Verbs with a prepositional complement
(danken für, bitten um, wohnen in, kommen aus, erzählen von etc.)

NOM — danken — Prepositional complement „für“ + ACC
Dative complement: „ihrer Mutter“

Vera dankt ihrer Mutter für die Blumen .
NOM   DAT   PRÄP + AKK

Nouns

14 Nouns and articles

Article	feminine ♀	masculine ♂	neuter
definite article	**die** Küche	**der** Herd	**das** Handy
indefinite article	**eine** Küche	**ein** Herd	**ein** Handy
negative article	**keine** Küche	**kein** Herd	**kein** Handy

▶ Sometimes the grammatical gender corresponds with the natural gender:
die Frau, die Kellnerin, die Brasilianerin
der Mann, der Kellner, der Brasilianer

1. Gender rules

feminine nouns	masculine nouns	neuter nouns
ending:	ending:	Ge-: das Genus
-e die Lampe	**-ant** der Elefant	das Gespräch
-heit die Freiheit	**-ent** der Student	ending:
-keit die Möglichkeit	**-eur** der Friseur	**-chen** das Mädchen
-ung die Wohnung	**-ist** der Tourist	**-zeug** das Spielzeug
-ion die Million		
-ie die Energie	**Days of the week:**	
	der Montag, der Dienstag …	
fruits:		
die Banane	**Seasons:**	
but: der Apfel,	der Frühling	
der Pfirsich		
	alcohol:	
	der Wein, der Wodka	
	but: das Bier	

2. Nouns used without articles

names:	Hallo, Nikos! Sind Sie Frau Bauer?
professions:	Er ist Fahrer von Beruf. Ich bin Lehrerin.
undefined expressions of quantity:	Nehmen Sie Zucker oder Milch? – Zucker, bitte.
cities and countries:	Kommen Sie aus Großbritannien? – Ja, ich komme aus London. Ich fahre nach + (*country/city without article*). Ich komme aus + (*country/city without article*).
! countries with article	Ich fahre in + (*article in accusative + country*). Ich komme aus + (*article in dative + country*).
	Ich fahre in die Türkei. Ich fahre in den Iran. Ich komme aus der Türkei. Ich komme aus dem Iran.

die Schweiz	**der** Iran	**die** Vereinigten Staaten / die USA
die Slowakei	der Irak	die Niederlande
die Volksrepublik China	der Sudan	die Philippinen
…	…	…

The plural article is "die".

die Lampe, -n = **die** Lampen
der Schrank, ⸚e = **die** Schränke
das Bett, -en = **die** Betten

-n / -en	-e / ⸚e	-s	-er / ⸚er	- / ⸚
die Lampe, -n	der Apparat, -e	das Foto, -s	das Ei, -er	der Computer, -
die Tabelle, -n	der Tisch, -e	das Büro, -s	das Bild, -er	der Fernseher, -
die Flasche, -n	der Teppich, -e	das Studio, -s	das Kind, -er	der Staubsauger, -
das Auge, -n	das Feuerzeug, -e	das Kino, -s	das Fahrrad, ⸚er	der Fahrer, -
die Regel, -n	das Problem, -e	das Auto, -s	das Glas, ⸚er	das Zimmer, -
die Nummer, -n	das Stück, -e	das Sofa, -s	das Haus, ⸚er	das Theater, -
die Wohnung, -en	der Stuhl, ⸚e	der Kaugummi, -s	das Land, ⸚er	der Vater, ⸚
die Lektion, -en	der Ton, ⸚e	der Lolli, -s	das Buch, ⸚er	der Sessel, -
die Süßigkeit, -en	die Hand, ⸚e	der Lerntipp, -s	das Wort, ⸚er	der Flughafen, ⸚
…	…	der Luftballon, -s	der Mann, ⸚er	…
		…	…	

▶ **a, o** and **u** often change in the plural to **ä, ö, ü**: der Mann, ⸚er (= *die Männer*). Some nouns have no singular form (e.g. *die Leute*) or no plural form (e.g. *der Zucker, der Reis*).

§ 16 **Case**

1. Declension of the definite article

Singular	feminine	masculine	neuter
Nominative	**die** Küche	**der** Herd	**das** Handy
Accusative	**die** Küche	**den** Herd	**das** Handy
Dative	**der** Küche	**dem** Herd	**dem** Handy

Plural			
Nominative	**die** Küchen/Herde/Handys		
Accusative	**die** Küchen/Herde/Handys		
Dative	**den** Küchen/Herden/Handys		

Der Igel ist im Garten.
*Sofie findet **den** Igel.*
*Sofie spricht mit **dem** Igel.*

2. Declension of the indefinite article

Singular	feminine	masculine	neuter
Nominative	**eine** Küche	**ein** Herd	**ein** Handy
Accusative	**eine** Küche	**einen** Herd	**ein** Handy
Dative	**einer** Küche	**einem** Herd	**einem** Handy

Plural	feminine	masculine	neuter
Nominative	- Küchen	- Herde	- Handys
Accusative	- Küchen	- Herde	- Handys
Dative	- Küchen	- Herden	- Handys

▶ The plural indefinite article is known as the zero article.

3. Declension of the negative article

Singular	feminine	masculine	neuter
Nominative	**keine** Küche	**kein** Herd	**kein** Handy
Accusative	**keine** Küche	**keinen** Herd	**kein** Handy
Dative	**keiner** Küche	**keinem** Herd	**keinem** Handy

Plural		
Nominative	**keine** Küchen/Herde/Handys	
Accusative	**keine** Küchen/Herde/Handys	
Dative	**keinen** Küchen/Herden/Handys	

Articles and pronouns

17 Personal pronouns

		Nominative	Accusative	Dative
Singular	1st person	ich	mich	mir
	2nd person	du	dich	dir
	3rd person	sie	sie	ihr
		er	ihn	ihm
		es	es	ihm
Plural	1st person	wir	uns	uns
	2nd person	ihr	euch	euch
	3rd person	sie	sie	ihnen
Formal address		Sie	Sie	Ihnen

Hallo, Nikos! Wir sind hier!
Hallo, ihr beiden! Wie geht es euch?
Danke, uns geht es gut!

18 Possessive articles

1. Forms

	as articles
ich	**mein** Fahrrad
du	**dein** Fahrrad
sie	**ihr** Fahrrad
er	**sein** Fahrrad
es	**sein** Fahrrad
wir	**unser** Fahrrad
ihr	**euer** Fahrrad
sie	**ihr** Fahrrad
Sie	**Ihr** Fahrrad

2. Declension of "mein"

Singular	Feminine	Masculine	Neuter
Nominative	**meine** Tante	**mein** Onkel	**mein** Kind
Accusative	**meine** Tante	**meinen** Onkel	**mein** Kind
Dative	**meiner** Tante	**meinem** Onkel	**meinem** Kind

Plural			
Nominative	**meine** Tanten/Onkel/Kinder		
Accusative	**meine** Tanten/Onkel/Kinder		
Dative	**meinen** Tanten/Onkeln/Kindern		

Articles as pronouns

The definite and indefinite pronouns replace known names or nouns. They are declined like the article.
→ § 12

<u>Der Tisch</u> ist doch toll.   **Den** *finde ich nicht so schön.*
Wie findest du das Sofa?   **Das** *ist zu teuer.*
Schau mal, die Stühle!   *Ja,* **die** *sind nicht schlecht.*
Wir brauchen noch eine Stehlampe.   *Wie findest du denn* **die** *da vorne?*

Wo finde ich Hefe?   *Tut mir Leid, wir haben* **keine** *mehr. Die kommt erst morgen wieder rein.*
Hast du einen Computer?   *Ja, ich habe* **einen.**
Hat Tom ein Fahrrad?   **!** *Ich glaube, er hat* **eins.**
                                     ! *Nein, er hat* **keins.**

Adjectives

Adjectives used predicatively

Die Stühle sind **bequem.**
Den Teppich finde ich **langweilig.**
Ich finde die Film-Tipps **interesssant.**
Als Lökführer muss man **flexibel** *sein.*

Der Sessel ist bequem!

The opposite			
groß ≠ klein	interessant ≠ langweilig	teuer ≠ billig	bequem ≠ unbequem

Declension of adjectives

1. Adjective declension, step by step

Question 1: To which **group*** does the adjective belong?
Question 2: **Gender/number**: Is the noun masculine, feminine or neuter? Is it singular/plural?
Question 3: **Case**: Is the noun in the nominative, accusative or dative?

> *** Groups 1–3:**
> 1. Definite article + adjective + noun
> 2. Indefinite article + adjective + noun
> 3. No article + adjective + noun

Group 1: Definite article + adjective + noun

*Or: dieser, jener, mancher, welcher.
Plural: alle, beide, sämtliche

Singular:	Feminine	Masculine	Neuter
Nominative	die rote Rose	der blaue Schuh	das schöne Haus
Accusative	die rote Rose	den blauen Schuh	das schöne Haus
Dative	der roten Rose	dem blauen Schuh	dem schönen Haus

Plural:	Feminine	Masculine	Neuter
Nominative	die roten Rosen	die blauen Schuhe	die schönen Häuser
Accusative	die roten Rosen	die blauen Schuhe	die schönen Häuser
Dative	den roten Rosen	den blauen Schuhen	den schönen Häusern

Group 2: Indefinite article + adjective + noun

*Or: kein, mein, dein, sein, ihr, unser, euer, ihr (in the singular)

Singular:	Feminine	Masculine	Neuter
Nominative	(k)eine rote Rose	(k)ein blauer Schuh	(k)ein schönes Haus
Accusative	(k)eine rote Rose	(k)einen blauen Schuh	(k)ein schönes Haus
Dative	(k)einer roten Rose	(k)einem blauen Schuh	(k)einem schönen Haus

Plural:	Feminine	Masculine	Neuter
Nominative	rote Rosen	blaue Schuhe	schöne Häuser
Accusative	rote Rosen	blaue Schuhe	schöne Häuser
Dative	roten Rosen	blauen Schuhen	schönen Häusern

Group 3: no article + adjective + noun

*Or: einige, etliche, mehrere, zwei, drei etc.

Singular:	Feminine	Masculine	Neuter
Nominative	heiße Schokolade	frischer Fisch	warmes Wetter
Accusative	heiße Schokolade	frischen Fisch	warmes Wetter
Dative	heißer Schokolade	frischem Fisch	warmem Wetter

Plural:	Feminine	Masculine	Neuter
Nominative		schöne Ferien	
Accusative		schöne Ferien	
Dative		schönen Ferien	

§ 22　Comparison of adjectives

1. Formation of comparative forms

comparative of "alt"

Wussten Sie, dass die Menschen in Japan ⎡älter⎤ *werden als anderswo?*

Sie essen am ⎡gesündesten⎤ .

superlative of "gesund"

*Der Mann ist **alt**.*   *Er ist **älter als** sein Bruder.*   *Er ist **der älteste** der drei Brüder.*
*Er ist **am ältesten**.*

42

2. Comparative and superlative forms

▶ In adjectives ending in -t, -d, -tz, -z, -sch, -ss an "e" is inserted before the ending:

	Positive ▶ gleich … wie	Comparative ▶ …-er + als	Superlative ▶ am + …-sten
Regular forms, e. g.	schnell weiß dauerhaft bekannt normal	schneller weißer dauerhafter bekannter normaler	am schnellsten am weißesten am dauerhaftesten am bekanntesten am normalsten
Forms with Umlaut, e. g.	groß gesund lang alt	größer gesünder länger älter	am größten am gesündesten am längsten am ältesten
Irregular forms, e. g.	gut viel gern hoch nah	besser mehr lieber höher näher	am besten am meisten am liebsten am höchsten am nächsten

Prepositions

23 Indications of time, frequency and place

1. Indications of time (When? How long?)

| heute   morgen   gestern   jetzt   lange   gleich   … |

Hast du heute Zeit? – Nein, aber morgen.

2. Indications of frequency (How often?)

| nie   selten   manchmal   oft   meistens   immer   fast nie   immer öfter   fast immer |

3. Indicatons of place and direction

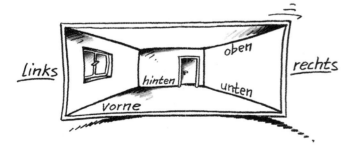

Wo finde ich den Kaffee?
*Im nächsten Gang **rechts oben.***
*Und die Milch finden Sie **gleich hier vorne.***
*Wo finde ich **hier** Computer? – Im dritten Stock. Fragen*
*Sie **dort** einen Verkäufer.*
*Ich steige die Treppe **hinauf.***

§24 The most important prepositions

Prepositions + Dative	aus	bei	mit	nach
	von	seit	zu	ab

Und du, Bülent? – Ich komme **aus der** *Türkei.*

aus + Article in Dative (die Türkei → aus der Türkei)

Prepositions + Accusative	durch	für	ohne

Herzlichen Dank **für die** *Blumen! – Bitte, gern geschehen!*

für + Article in Accusative (die Blumen → für die Blumen)

Variable prepositions Where? = + Dative Where to? = + Accusative	an auf hinter in neben über unter vor zwischen

Where to? **Where?**

+ Accusative **+ Dative**

Ich gehe **in die** *Schule.* | *Ich bin* **in der** *Schule.*

Häng das Bild **an die** *Wand!* | *So, jetzt hängt es* **an der** *Wand.*
Leg das Buch **auf den** *Tisch!* | *Jetzt liegt es* **auf dem** *Tisch.*

§25 Prepositions: Meaning

1. Prepositions: place and direction

Where from? ⬚→	Where? ◉	Where to? ⬚→
aus + Dative / von + Dative	bei + Dative / in + Dative	nach + Dative / zu + Accusative / in + Dative
Ruth holt Anna **vom** Kindergarten ab. Bülent kommt **aus der** Türkei.	Sie ist Flugbegleiterin **bei der** Lufthansa. Kawena wohnt **in der** Schleißheimer Straße.	Martina fliegt oft **nach** Asien. Luisa möchte **zum** Mauermuseum. Er fährt **in die** Schweiz.

Variable prepositions

Answering the question **Wo** steht / ist ...?:   variable preposition + Dative
Answering the question **Wohin** geht / legt ...?:   variable preposition + Accusative

auf

über

unter

hinter

vor

zwischen

neben

an

in

*Otto geht **unter den** Teppich.*   *Jetzt ist Otto **unter dem** Teppich.*

2. Prepositions: time

am + day	Was möchtest du **am** Samstag machen?
am + date	Vera kommt **am** 12. Februar.
um + time of day	Der Film beginnt **um** 20 Uhr.
im + month	Julia hat **im** Juli Urlaub.
ab + date	Sie ist **ab (dem)** 24. August in Graz.
bis (zum) + date	Sie ist **bis (zum)** 31. August in Graz.
von ... bis + days	Sie hat **von** Montag **bis** Mittwoch Proben.
von ... bis + times of day	Wir haben **von** 9 **bis** 13.30 Uhr Unterricht.
seit + expression of time	Diana lernt **seit** sechs Monaten Deutsch.

3. Prepositions für / von / mit / ohne

für	+ Dative

*Herzlichen Dank **für** die Blumen!*

von	+ Dative

*Sie sind **von** mir.*

mit	+ Dative

*Ich möchte **mit** dir ins Kino gehen.*

ohne	+ Accusative

***Ohne** dich will ich nicht leben.*

Prepositions – abbreviated forms

Preposition + article	Abbreviated form
an + dem	am
an + das	ans
bei + dem	beim
in + dem	im

Preposition + article	Abbreviated form
in + das	ins
von + dem	vom
zu + der	zur
zu + dem	zum

§ 27 **und / oder / aber**

	+
Addition	Ich nehme ein Sandwich **und** ein Bier.
	Ich esse eine Pizza **und** Vera trinkt einen Apfelsaft.
Alternative	Nimmst du Kaffee **oder** Tee?
	Nimmst du Milch **oder** möchtest du lieber keine?
Contrast	Ich trinke Kaffee, **aber** ohne Zucker.
	Ich habe Geburtstag, **aber** niemand kommt.

§ 28 **wenn / obwohl / weil**

Main clause ─────────────▶ Subordinate clause
                Conjunction

	Position 2				**End**	
Ich	(*singe*) ,	*weil*	*ich glücklich*		(*bin*)	.

Sie geht spazieren, obwohl es regnet.

Time	Wir diskutieren, **wenn** Pause ist.
Condition	**Wenn** es regnet, dann gehen wir nicht spazieren.
Reason	Ich singe, **weil** ich glücklich bin.
Reason against	Viele junge Leute wohnen bei den Eltern, **obwohl** sie schon arbeiten.

Modal particles

9 Modal particles: meaning

Modal particles give a sentence a subjective slant

> (Ich finde, das ist nicht lange.)
>
> Wir sind <u>erst</u> drei Jahre verheiratet.

> (Ich finde, das ist sehr lange.)
>
> Wir sind <u>schon</u> drei Jahre verheiratet.

---

making a request or advice friendlier

Geben Sie mir **doch mal** einen <u>Tipp</u>.
Geh **doch** in einen Ve<u>rein</u>!
Kommen Sie **bitte** <u>mit</u>.

---

making stronger/weaker

Na ja, die Wohnung ist **ganz** <u>okay</u>.
Die Wohnung ist **sehr** schön.
Schau mal, das Sofa ist **doch** <u>toll</u>!

---

imprecise information

Also, ich komme **so um** <u>zehn</u> Uhr.
Die Reise kostet **ungefähr** 2000 <u>Euro</u>.
Fast <u>alle</u> haben hier einen Fernseher.
Über die Hälfte hat eine <u>Mikrowelle</u>.
Ich bin **etwa** <u>zwei Jahre</u> verheiratet.
Ich komme **etwas** <u>später</u>.
Er spricht **ein wenig** <u>Deutsch</u>.

---

making questions friendlier

Hast du **vielleicht** auch <u>Tee</u>?
Gebt ihr mir **mal** eine Schachtel <u>Zigaretten</u>?

---

showing interest

Wie alt <u>sind</u> **denn** ihre Kinder?
Wie <u>geht's</u> Ihnen **denn**?
Ist die Wohnung **denn auch** <u>günstig</u>?

---

showing surprise

Oh, das ist **aber** <u>nett</u> von dir!
Nein, <u>wirklich</u>?
Aber das ist **doch** nicht <u>möglich</u>!

---

making negatives friendlier

Das ist **doch** <u>altmodisch</u>. (Ich finde es nicht toll.)
Ich finde das Sofa **nicht so** <u>schön</u>.
Es ist mir **zu** <u>langweilig</u>.
Wenigstens ist es nicht so <u>teuer</u>.
Eigentlich komme ich aus <u>Rostock</u>, aber …

§ 30 Cardinal numbers

0 to 99

0 null	10 zehn	20 zwanzig	30 dreißig
1 eins	11 elf	21 einundzwanzig	31 einunddreißig
2 zwei	12 zwölf	22 zweiundzwanzig	32 zweiunddreißig
3 drei	13 dreizehn	23 dreiundzwanzig	...
4 vier	14 vierzehn	24 vierundzwanzig	40 vierzig
5 fünf	15 fünfzehn	25 fünfundzwanzig	50 fünfzig
6 sechs	16 sechzehn	26 sechsundzwanzig	60 sechzig
7 sieben	17 siebzehn	27 siebenundzwanzig	70 siebzig
8 acht	18 achtzehn	28 achtundzwanzig	80 achtzig
9 neun	19 neunzehn	29 neunundzwanzig	90 neunzig

from 100

100 (ein)hundert	110 hundertzehn	1000	(ein)tausend
101 hunderteins	...	1001	tausend(und)eins
102 hundertzwei	200 zweihundert	1010	tausendzehn
103 hundertdrei	300 dreihundert	1120	tausendeinhundertzwanzig
104 hundertvier	400 vierhundert	1490	tausendvierhundertneunzig
105 hundertfünf	500 fünfhundert	5000	fünftausend
106 hundertsechs	600 sechshundert	10 000	zehntausend
107 hundertsieben	700 siebenhundert	100 000	hunderttausend
108 hundertacht	800 achthundert	1 000 000	eine Million
109 hundertneun	900 neunhundert	1 000 000 000	eine Milliarde

Numbers from 13 to 99 are read from right to left. *Example:* 69 = **neun**und**sechzig**

§ 31 Ordinal numbers

die / der / das ...

1. **erste**	7. **siebte**	13. dreizehnte
2. zweite	8. **achte**	...
3. **dritte**	9. neunte	20. zwanzigste
4. vierte	10. zehnte	21. einundzwanzigste
5. fünfte	11. elfte	100. hundertste
6. sechste	12. zwölfte	1000. tausendste

Ordinal numbers are formed as follows:

up to 19.:   cardinal number + ending „-te"

from 20.:   cardinal number + ending „-ste"

2 **Expressions of number**

Eine Banane, bitte.

ein / eine	*Eine Banane, bitte.*
viel	*1000 Euro sind viel Geld.*
wenig	*10 Euro sind wenig Geld.*
einmal / zweimal	*Ich gehe zweimal im Monat ins Kino.*

1. Years

Years up to 1099 and from 2000 are spoken as cardinal numbers.
813 → 8 hundert 13   2010 → 2 tausend 10

Years between 1100 and 1999 are not spoken as cardinal numbers, instead the hundreds are counted.
1492 → 14 hundert 92   1999 → 19 hundert 99

Years are stated without the preposition „in".
        Herr Haufiku ist 1969 geboren.
But: **Im Jahr** 1997 ist er nach Deutschland gekommen.

2. Decimals

Decimals are written with a comma and
pronounced as follows:
3,5   → drei Komma fünf
3,52 → drei Komma fünf zwei

3. Percentages

Percentages are spoken as follows:
35 %   → fünfunddreißig Prozent
3,5 %   → drei Komma fünf Prozent
3,52 %   → drei Komma fünf zwei Prozent

4. Fractions

$^1/_2$ → die Hälfte
$^1/_3$, $^2/_3$ → ein Drittel, zwei Drittel
$^1/_4$, $^3/_4$ → ein Viertel, drei Viertel

5. Prices

Prices are spoken as follows:
    9,35 € → Neun Euro fünfunddreißig
825,99 € → Achthundertfünfundzwanzig
                Euro neunundneunzig

	Time	colloquial form
	10.00 Uhr	(genau) zehn
	10.05 Uhr	fünf nach zehn
	10.10 Uhr	zehn nach zehn
	10.15 Uhr	Viertel nach zehn
	10.20 Uhr	zwanzig nach zehn
	10.25 Uhr	fünf vor halb elf
	10.30 Uhr	halb elf
	10.35 Uhr	fünf nach halb elf
	10.40 Uhr	zwanzig vor elf
	10.45 Uhr	Viertel vor elf
	10.50 Uhr	zehn vor elf
	10.55 Uhr	fünf vor elf
	11.00 Uhr	(genau) elf

Wie spät ist es, bitte?

Es ist fünf nach zehn.

Wann beginnt das Fest?

Es beginnt um halb elf.

Ui! Schon zehn vor elf!

Date	Heute ist ...	Ich komme ...
1. 1.	**der** erste Januar	**am** ersten Januar
2. 2.	**der** zweite Februar	**am** zweiten Februar
3. 3.	**der** dritte März	**am** dritten März
4. 4.	**der** vierte April	**am** vierten April
5. 5.	**der** fünfte Mai	**am** fünften Mai
6. 6.	**der** sechste Juni	**am** sechsten Juni
7. 7.	**der** siebte Juli	**am** siebten Juli
8. 8.	**der** achte August	**am** achten August
9. 9.	**der** neunte September	**am** neunten September
10. 10.	**der** zehnte Oktober	**am** zehnten Oktober
11. 11.	**der** elfte November	**am** elften November
12. 12.	**der** zwölfte Dezember	**am** zwölften Dezember

Mein Geburtstag ist am sechsten Januar und heute ist erst der dritte. Noch dreimal schlafen also ...

Word formation

4 Compounds

Noun + noun	Adjective + noun	Verb + noun
die Kleider (plural) + der Schrank → **der** Kl<u>ei</u>der**schrank**	hoch + das Bett → **das** H<u>o</u>ch**bett**	schreiben + der Tisch → **der** Schr<u>ei</u>b**tisch**
die Wolle + der Teppich → **der** W<u>o</u>ll**teppich**	spät + die Vorstellung → **die** Sp<u>ä</u>t**vorstellung**	stehen + die Lampe → **die** St<u>e</u>h**lampe**

The basic word comes last and determines the article.　　*der Schrank – **der** Kleider**schrank***

The defining word (at the beginning) takes the word stress.　　*der Kl**ei**derschrank*

Some compounds require an "s" between the two elements.　　*der Geburt<u>s</u>tag, das Lieblings<u>s</u>essen*

5 Prefixes and suffixes

1. Word formation with suffixes

-isch for languages:
*England – Engl**isch**, Indonesien – Indones**isch**, Japan – Japan**isch**, Portugal – Portugies**isch***

-in for female professions and nationalities:
*der Arzt – die Ärzt**in**, der Pilot – die Pilot**in**, der Kunde – die Kund**in** …*
*der Spanier – die Spanier**in**, der Japaner – die Japaner**in**, der Portugiese – die Portugies**in***

-isch / -ig for adjectives:
*prakt**isch**, richt**ig**, günst**ig***

-keit / -ung / -ion for nouns:
*die Sehenswürdig**keit**, die Möglich**keit**, die Erfahr**ung**, die Veranstalt**ung**, die Informat**ion***

2. Word formation with prefixes

un- as a negation of adjectives:
praktisch	–	***un**praktisch*	≈ *nicht praktisch*
bequem	–	***un**bequem*	≈ *nicht bequem*

Many adjectives are negated with **nicht**, e.g. *nicht teuer, nicht billig, nicht viel …*

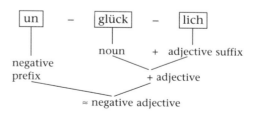

III Sentences

Statements

In a statement the verb is in Position 2.

Position 1	Position 2	
Das Sofa	*finde*	*ich* toll. NOM
Ich NOM	*kaufe*	*doch kein Sofa für 999 Euro!*
Heute	*kaufe*	*ich* euch kein Eis. NOM
Andrea und Petra NOM	*arbeiten*	*auch bei TransFair.*

▶ There are also short sentences with no subject or verb: *Woher kommst du?* – **Aus Australien.**
Was möchten Sie trinken? – **Einen Apfelsaft, bitte.**

Questions

 There are w questions (W-Fragen)

Woher kommst du?
– *Aus ...*

 and   yes/no questions (Ja/Nein-Fragen)

Kommst du aus Italien?
– *Ja (, aus Rom).*
  Nein, aus Spanien.

! In questions the verb is in Positions 1 or 2.

Position 1	Position 2		
Woher	*kommst*	*du?* NOM	**w question**
Kommst	*du* NOM	*aus Australien?*	**yes/no question**

Imperatives

! In imperatives the verb takes Position 1.

du form | **Position 1**

 Schau   *doch mal ins Wörterbuch!*
Bestell   *doch eine Gulaschsuppe.*
Gebt   *mir mal einen Tipp!*

Sie form | **Position 1**

 Buchstabieren *Sie* bitte!
Nehmen   *Sie* doch eine Gulaschsuppe.
 Geben   *Sie* mir mal einen Tipp.

The words **doch**, **mal** or **bitte** make imperatives more polite.

Sentence components

Subject (NOM complement)	+	1st verb	+	complement

Die Kinder + (*schlafen.*)
NOM   NOM

Ich + (*möchte*) + *einen Orangensaft,* *bitte.*
NOM   NOM   ACC   ACC

Frau Jünger + (*kauft*) + *Tanja* *Gummibärchen* .
NOM   NOM DAT ACC   DAT   ACC

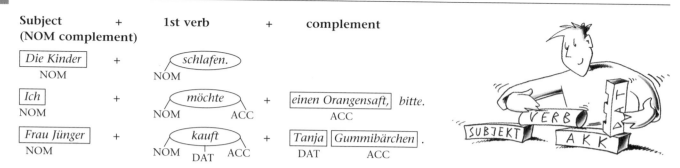

Sentence structure

Main clause	*Andrea **bestellt** einen Salat.*	The verb is in Position 2.

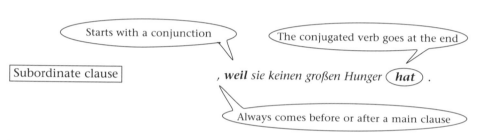

Starts with a conjunction   The conjugated verb goes at the end

Subordinate clause	*, **weil** sie keinen großen Hunger* (*hat*) *.*

Always comes before or after a main clause

We can combine clauses

Main clause + main clause

Roman bestellt eine Suppe.   *Andrea bestellt einen Salat.*

Roman bestellt eine Suppe | **und** | *Andrea bestellt einen Salat.*

Sie lebt in San Francisco. Sie lebt in Irland.

Sie lebt in San Francisco | **oder** | *(sie lebt) in Irland.*

Er kommt nicht oft zum Unterricht. Er hat gute Noten.

Er kommt nicht oft zum Unterricht, | **aber** | *er hat gute Noten.*

Main clause + subordinate clause

Andrea bestellt einen Salat.   *Sie hat keinen großen Hunger.*

Andrea bestellt einen Salat, | **weil** | *sie keinen großen Hunger **hat**.*

Sie bleiben im Elternhaus.   *Sie haben genug Geld für eine eigene Wohnung.*

Sie bleiben im Elternhaus, | **obwohl** | *sie genug Geld für eine eigene Wohnung haben.*

Komm mich doch mal besuchen.   *Wenn du Zeit hast.*

Komm mich doch mal besuchen, | **wenn** | *du Zeit hast.*

Communication

Kommst du mit mir ins Kino?

making a date
Wollen wir zusammen ...?
Kommst du mit mir ...?
Möchten Sie vielleicht heute ...?
Wann treffen wir uns?
Vielleicht so gegen acht?

accepting	declining
Ja, gerne!	Eigentlich gerne, aber...
O.k., gerne!	Nein, tut mir Leid, ich kann nicht.
Prima, ich komme!	Nein, das ist mir zu früh / zu spät.
Gute Idee! Einverstanden!	Nein, lieber ein anderes Mal.

Hallo, hier spricht Yoshimoto.

Kann ich bitte Frau Yoshimoto sprechen?

Oh, das tut mir leid. Sie ist in den Ferien. Kann ich was ausrichten?

Danke nein, wann ist sie wieder da?

Nächsten Montag.

Gut, dann rufe ich wieder an.

asking for someone on the phone	saying whether s/he can come to the phone
	+ Ja, Moment bitte. Augenblick bitte, ich verbinde Sie.
Kann ich bitte mit Frau Rot sprechen? Bitte verbinden Sie mich mit Frau Rot. Können Sie mich mit Frau Rot verbinden? Ich möchte mit Herrn Rot sprechen, bitte.	? Ich werde nachsehen, ob er / sie hier ist. Moment, bitte.
	– Tut mir leid, Frau Rot ist heute nicht da. Kann ich ihr etwas ausrichten?

Asking the way	
Entschuldigung ...	Wo ist ...? Wie komme ich zum Bahnhof? Wissen Sie, wo die Stadtkirche ist? Wie finde ich das Hotel Bristol? Gibt es hier in der Nähe einen Kiosk?

> Entschuldigung, wie komme ich zum Bahnhof?

Describing the way
Der Bahnhof? Der ist gleich da vorne. Gehen Sie ... Die zweite Straße rechts. Dort finden Sie ... / Dort sehen Sie ...

 geradeaus

 den Fluss entlang (ACC)

 nach rechts
nach links

 über die Straße /
Brücke / den Platz (ACC)

 bis zur ... Straße /
bis zum Bahnhof (DAT)

 durch das Tor /
die ... Gasse (ACC)

 gegenüber
von (DAT)

 an (DAT) ... vorbei

Haben Sie ein Zimmer frei?

Reserving a room	Giving the date/number of guests
Guten Tag, ich brauche ein Doppelzimmer. ein Einzelzimmer. Guten Tag, ist bei Ihnen noch etwas frei? Was kostet das Zimmer? Haben Sie Vollpension / Halbpension? Sind Sie in der Nähe des Bahnhofs?	Vom 12. bis 15. August, also drei Nächte. Für das nächste Wochenende. Für heute Nacht. Wir sind zwei Erwachsene und ein Kind.

Checking in	Checking out
Guten Tag, wir haben reserviert. Mein Name ist ... Entschuldigung, haben Sie einen Weckdienst? Könnten Sie uns bitte morgen um 7 wecken?	So, wir reisen heute ab. Ich möchte bitte bezahlen. Hier ist unser Schlüssel. Ich bezahle bar / mit Kreditkarte.

Asking someone's opinion

Glaubst du / glauben Sie, dass …
Was hältst du / halten Sie von …
Was denkst du / denken Sie über …
Wie findest du / finden Sie …
Was meinst du / meinen Sie denn dazu?

Herr Müller, was halten Sie eigentlich davon?

Hmm… Das ist schwer zu beurteilen…

Agreeing

(Ja,) das finde / glaube ich auch.
(Ja,) das sehe ich auch so.
Da hast du / haben Sie Recht.
Genau!
Das stimmt.

Responding / gently disagreeing

Glaubst du wirklich?
Bist du / Sind Sie da wirklich sicher?
Vielleicht haben Sie Recht, aber …
Kann sein, aber …
Das kommt darauf an.

Giving your own opinion

Ich glaube / finde, dass …
Ich denke / meine, dass …
Meiner Meinung nach …

Es ist doch ganz klar, dass …
Ich bin ganz sicher, dass …
Ich bin fest davon überzeugt, dass …

Expressing uncertainty

Ich weiß nicht …
Ich bin mir nicht sicher …
Ich vermute …
Das ist schwer zu beurteilen.
Das ist schwer zu sagen.
Ich würde sagen …

Strongly disagreeing

(Nein,) das finde ich nicht.
(Ich glaube,) das siehst du / sehen Sie nicht richtig.
Das stimmt (aber / doch) nicht!
Ganz im Gegenteil!
Ich bin nicht dieser Meinung!

Gute Besserung!

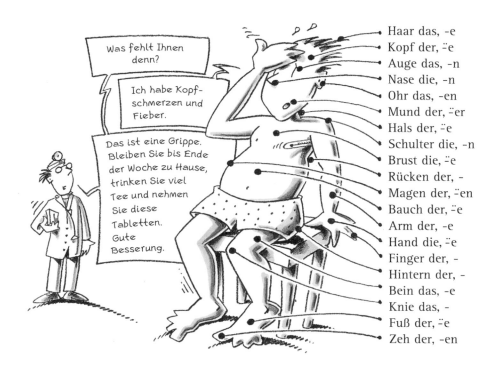

Was fehlt Ihnen denn?

Ich habe Kopf-schmerzen und Fieber.

Das ist eine Grippe. Bleiben Sie bis Ende der Woche zu Hause, trinken Sie viel Tee und nehmen Sie diese Tabletten. Gute Besserung.

Haar das, -e
Kopf der, ¨e
Auge das, -n
Nase die, -n
Ohr das, -en
Mund der, ¨er
Hals der, ¨e
Schulter die, -n
Brust die, ¨e
Rücken der, -
Magen der, ¨en
Bauch der, ¨e
Arm der, -e
Hand die, ¨e
Finger der, -
Hintern der, -
Bein das, -e
Knie das, -
Fuß der, ¨e
Zeh der, -en

Asking someone how they are	Saying how you yourself are
Was fehlt dir / Ihnen denn? Was hast du / haben Sie denn? Sie sehen nicht gut aus. Sind Sie krank? Hast du / Haben Sie Schmerzen?	Ich bin in letzter Zeit so müde. Der / das / die ... tut mir so weh. Ich habe starke Rücken- / Kopf- / Bauch...schmerzen. Ich kann nicht gut schlafen. Ich glaube, ich habe Fieber.